人文武术精品书系

勿使前辈之遗珍失于我手
勿使国术之精神止于我身

杜元化

太极拳正宗

武学名家典籍丛书

太极拳正宗

杜元化·著

王海洲·点校

北京科学技术出版社

杜元化，1869年生人，河南沁阳义庄人。受本村尚武之风的影响，自幼学拳于牛玉璠老师，包括七十二路战捶、炮捶、五合、六合、七贯等外家拳术。后于清光绪三十一年（1905）拜任长春为师学习赵堡太极拳，历经五载，直至任长春仙逝。

著有《太极拳正宗》，并与河南省国术馆馆长陈泮岭等人参与了陈鑫《陈氏太极拳图说》一书的订补工作。

太極拳正宗

图书在版编目（CIP）数据

太极拳正宗 / 杜元化著 ; 王海洲点校.——北京 : 北京科学技术出版社，2020.3
(武学名家典籍丛书)
ISBN 978-7-5714-0565-6

Ⅰ. ①太… Ⅱ. ①杜… ②王… Ⅲ. ①太极拳－基本知识 Ⅳ. ①G852.11

中国版本图书馆 CIP 数据核字（2019）第 256681 号

太极拳正宗

作　　者：杜元化
点 校 者：王海洲
策划编辑：王跃平
责任编辑：苑博洋
责任校对：贾　荣
责任印制：张　良
封面设计：张永文
版式设计：王跃平
出 版 人：曾庆宇
出版发行：北京科学技术出版社
社　　址：北京西直门南大街 16 号
邮政编码：100035
电话传真：0086-10-66135495（总编室）
0086-10-66113227（发行部）　0086-10-66161952（发行部传真）
电子信箱：bjkj@bjkjpress.com
网　　址：www.bkydw.cn
经　　销：新华书店
印　　刷：保定市中画美凯印刷有限公司
开　　本：787mm × 1092mm　1/16
字　　数：163 千字
印　　张：21
插　　页：4
版　　次：2020 年 3 月第 1 版
印　　次：2020 年 3 月第 1 次印刷
ISBN 978-7-5714-0565-6 / G·2961

定　价：108.00 元

出版人语

武术作为中华民族文化的重要载体，集合了传统文化中哲学、天文、地理、兵法、中医、心理等学科精髓，它对人与自然和谐共生关系的独到阐释，它的技击方法和养生理念，在博大精深的中华文化中独具特色。

随着学术界对中华武学的日益重视，北京科学技术出版社应国内外研究者对武学典籍的迫切需求，于 2015 年组建了“人文·武术图书事业部”，该部成立伊始的主要任务之一，就是编纂出版“武学名家典籍丛书”。

入选本套丛书的作者，基本界定为民国以降的武术技击家、武术理论家及武术活动家，而之所以会有这个界定，是因为此时期的武术，在中国武术的发展史上占据着重要的位置。在这个时期，中西文化日渐交流与融合，传统武术从形式到内容，从理论到实践，都发生了巨大的变化，这种变化，深刻干预了近现代中国武术的走向。

这一时期，在各自领域“独成一家”的许多武术人，之所以被称为“名人”，是因为他们的武学思想及实践，对当时及现世武术的影响深远，甚至成为近一百年来武学研究者辨识方向的坐标。这些人的“名”，名在有武术的真才实学，名在对后世武术传承永不磨灭的贡献。他们的各种武学著作堪称“名著”，是中华传统武学文化极其珍贵的经典史料，具有很高的文物价值、史料价值和学术价值。

民国时期的太极拳著作，在整个太极拳发展史上占有举足轻重的地位。当时的太极拳著作，正处在从传统的手抄本形式向现代出版形式完成过渡的时期；同时也是传统太极拳向现代太极拳过渡的关键时期。这一时期的太极拳著作，不仅忠实地记载了太极拳的衍变和最终定型，还构建了较为完备的太极拳技术和理论体系。“武学名家典籍丛书”收录了著名杨式太极拳家杨澄甫先生的《太极拳使用法》《太极拳体用全书》，一代武学大家孙禄堂先生的《形意拳学》《八卦拳学》《太极拳学》《八卦剑学》《拳意述真》，武学教育家陈微明先生的《太极拳术》《太极剑》《太极答问》，武术活动家许禹生先生的《太极拳势图解》《陈式太极拳第五路·少林十二式》，董英杰先生的《太极拳释义》，以及《陈鑫陈氏太极拳图说》。《太极拳正宗》为赵堡太极拳第九代宗师杜元化所著，包括赵堡太极拳的源流、理论、练法、架式以及有关秘诀，是第一部全面反映赵堡太极拳拳理拳法的重要典籍，对于太极拳习练者以及武术历史研究者都具有丰富的价值。

这些著作及其作者，在当时就已具有广泛的影响力，而时隔近百年之后，它们对于现阶段的拳学研究依然具有指导作用，依然被太极拳研究者、爱好者奉为宗师，奉为经典。对其进行全方位、多层面的系统研究，是我们今天深入认识传统武学价值，更好地传承、发展、弘扬民族文化的一项重要内容。

本丛书由国内外著名专家或原书作者的传人以规范的体例进行了

简体化、点校和导读，尊重大师原作，力求经得起广大读者的推敲和时间的考验，再现经典。

为了减少读者的阅读困难，我们对简体部分进行了如下处理：原书中明显的讹误及衍倒之处，我们采用径改的方式，不再出注，尽量使读者阅读顺畅；原书中有少量缺字现象，可根据前后文补上的，我们即直接补上，不再出注，不能补充的以□表示。

“武学名家典籍丛书”，将是一个展现名家、研究名家的平台，我们希望，随着本丛书的陆续出版，中国近现代武术的整体面貌，会逐渐展现在每一位读者的面前；我们更希望，每一位读者，把您心仪的武术家推荐给我们，把您知道的武学典籍介绍给我们，把您研读诠释这些武术家及其武学典籍的心得体会告诉我们。我们相信，“武学名家典籍丛书”这个平台，在广大武学爱好者、研究者和我们这些出版人的共同努力下，会越办越好。

导读

赵堡太极拳，是一个在河南省温县赵堡村内流传了四百余年的以地名命名的古老拳种。由于自古就有“拳不出村”的门规，赵堡太极拳到了 20 世纪 30 年代仍然鲜为人知，就连当时的河南省国术馆馆长陈泮岭先生都认为赵堡太极拳“湮没弗彰”。20 世纪 30 年代，郑伯英、郑悟清、侯春秀等先师因避战乱迁居陕西西安等地，并扎根大西北传授赵堡太极拳。改革开放以后，赵堡村为弘扬赵堡太极拳，成立了赵堡太极拳总会，鼓励老拳师们走出赵堡，奔赴大江南北，在全国范围内积极推广和传授赵堡太极拳。赵堡太极拳从此大放光彩，不但得到中国武术协会的认可，还被正式列为中国六大传统太极拳之一。1996 年，时任中国武术协会主席的张耀庭先生题词称赵堡太极拳“渊源有序，拳理明晰”，对赵堡太极拳这一优秀拳种给予充分肯定。

一、赵堡太极拳及其传承与发展

既然赵堡太极拳是以地名命名，那么首先来看看赵堡是一个什么样的地方，太极拳是怎样传入赵堡村，赵堡太极拳又是怎样在村内秘传了四百余年。

据现存赵堡村村委会大院内的村碑中记载：

赵堡，温县之重镇。春秋时期，晋昭公封大卿赵公食邑于温，于温东十五里许挖地筑堡而居，故称赵堡。迄今已有两千五百余年。

古赵堡东西长三里，南北二里半，周长九里十三步。护城墙高二丈四尺，底宽三丈八尺，望瀛、向离、瞻华、法坎四座城门巍然屹立。护城河宽三丈，深丈许，沿青峰岭至赵堡九条路沟曲折蜿蜒，乃形成九龙朝凤之势。堡南三官庙为凤头，中心关帝庙为凤腹，北面孙真庙为凤尾，东祖师庙、西三清庙为凤翅。另有名胜古迹多处：铁三官、杨裹槐、金银二冢凤凰台、没梁庙、舍身台、七十二台阶至顶，穿庙有三十二柱、六人合围唐古槐，魁星阁上贴状元。永安寺（即南大寺）占地五百四十亩，老君庙青牛栩栩如生，南紫阁双鸽巧夺天工，南观之翩翩起舞，北视之头下脚上如倒悬。先人智巧，可叹古建筑群在公元一九二三年至一九六八年渐毁，其雄姿胜景，无从观瞻。

赵堡北依太行山，南傍黄河，山荫河育，人勤土沃。自古以来耕作精细，农艺先进，汲水浇地，旱涝保收，大河南北，堪称翘楚。

赵堡古来即居南北之要津，如今更是东西通衢，车水马龙，百业兴旺。现有人口近万，姓氏一百单二，为一般村镇所罕见。真可谓物华天宝，地灵人杰，人才辈出，誉满华夏。

正是在这样一个具有悠久历史的古镇，孕育出了优秀的赵堡太极拳。在明万历年间，蒋发将太极拳传入赵堡村，由此，赵堡太极拳尊张三丰为祖师，奉蒋发为先师。

第九代宗师杜元化先生在其所著《太极拳正宗》一书中写道："先师蒋老夫子原籍怀庆温县人，生于大明万历二年，世居小留村，在县之东境，距赵堡镇数里之遥。至二十二岁学拳于山西太谷县王老夫子讳林桢（即王宗岳）。事师如父，学七年，礼貌不稍衰，师亦爱之如子。"蒋发先师学完拳艺回到赵堡后，严格按照师父的嘱托，开始择徒授拳。从此，太极拳便在赵堡村内一代一代流传下来。

关于蒋发先师拜师学艺，在赵堡村内一直流传着一个历代口耳相传的传奇故事：

明朝万历年间，在赵堡镇小留村（现在这个村的名字叫小刘村）有一个名叫蒋发的人，他生于万历二年，是个十分热爱武术的青年。一天，山西人王宗岳和郑州的一位客商从山西过黄河到郑州经商，前往黄河汜水渡口时路经赵堡小留村，并在小留村东的一棵大柏树下歇脚。他们看见有一群青年在练拳，随行的客商问王宗岳："你看这群练拳的青年哪一个根底好一些？"王宗岳说："那个穿紫衣布衫的人还可以，如果有好老师指点的话，可能会练出高功夫来。"说完他们两人就起程了。这些话被旁边一个逗小孩玩的老太婆听到了，她把王宗岳和客商的话告诉了蒋发，就是王宗岳说的那个穿紫衣布衫的人。蒋发听了，二话不说，抄小路就去追赶王宗岳，抢过王宗岳肩上的钱搭背在自己身上，送王宗岳到汜水渡口。蒋发跪在地上，要求王宗岳收他为徒。王宗岳开始说："我不会武，你找别人吧。"蒋发就长跪不起。客商见了这种情景，说："王先生，您就收下这个徒弟吧。"王宗岳说："这样吧，今年冬至时，你再到这里等我。"王宗岳说完就上了渡船。当王宗岳和客商从郑州回山西又到汜水渡口时，已是大雪纷飞的冬天。由于雪大天黑，王宗岳就在河边客店投宿。客商对王宗岳说："你收的小徒弟不是说冬至到渡口来接你吗?"王宗岳说："也许那孩子早已忘了。这样的大雪天他会来?"他们的话被店家听到了，店家说："今天，我在这里远远地看到一个青年人在对岸牵着一头毛驴，站了一天，可能是等你们的吧。"

第二天，蒋发在渡口北岸将王宗岳接到自己家中。在路上，王宗岳看见麦地里有个牛犊在啃青，就对客商说："这样的小牛肉最鲜美。"在蒋发家，王宗岳对蒋发的母亲说他要把蒋发带到山西老家，教他武艺。吃饭时，蒋发端上一瓦盆牛肉，王宗岳吃起来赞不绝口。蒋发说："您在路上看见的那头小牛是我家的，我已经将它杀了。"王宗岳听了十分感动，也自感失言。

蒋发在王宗岳家学拳七年，他敬师如父，深得王宗岳的喜爱，王宗岳传授给他太极拳和各种功法要诀。王宗岳只有一个女儿，因他经常外出，蒋发长时间与王宗岳的女儿，也就是他的师姐一起练拳，很多动作都是模仿师姐的。因此，在赵堡镇，也有人说赵堡太极拳是“大姑娘拳”。在拳谱中，也有一些与女性有关的招式，如“玉女穿梭”“单摆莲”“双摆莲”“束手解带”等。

赵堡太极拳自蒋发先师传入以来，四百多年间名家辈出。他们艺德双修，既发展拳术广播桃李，又惩奸除暴造福乡里，侠名远扬，世代受人敬仰。1723 年，雍正皇帝亲书“乾坤正气”匾额，并敕令高悬于关帝庙楣，以期发扬光大。

赵堡太极拳的传承脉络略述如下。

蒋发首传邢喜怀。蒋发学成回乡后，与当地的拳师较艺，无人能敌，他的太极拳艺因此远近闻名。王宗岳在他离开山西时对他说，他所学的太极拳不可随便传授，但不是不传人。如果没得到可传的人就不传，如果得到可传的人一定要尽心尽力传授。如果得到可传的人却不传授，就如同绝了后代一样。如果能广泛传授更好。蒋发曾经应乡邻的邀请，外出教授太极拳，白天给别人当把式（长工），晚上教东家的一些子侄练太极拳。由于劳动一天很疲劳，他便教了一套起势面南、收势朝北的太极拳，这样，在学生练拳的时候，他便可以在南面多休息一会儿。蒋发的报酬是每年一担麦子，母亲在家做一些纺织品贴补家用。赵堡镇有一个繁华的集市，蒋发经常拿一些纺织品到集市上摆卖。镇上有一个大户人家的孩子叫邢喜怀，十分仰慕蒋发的拳艺，千方百计地接近蒋发。每当蒋发摆卖时他就把蒋发的东西高价买入，过后低价卖出，并从各方面周到地照顾蒋发。经过长时间的考察，蒋发感到邢喜怀为人忠厚，在赵堡镇口碑很好。后来，邢喜怀亲自登门恳请蒋发到他家里教拳，并给他安排一个院落，雇了一个丫鬟伺候他的母亲，每年给三担小麦的报酬，而且蒋发不用干其他活，只专心练拳教拳。蒋发被邢喜怀的真诚感动，将自己所学倾囊相授，还将王宗岳所传太极拳秘诀、论著等传给邢喜怀。邢喜怀技达神明，一生擅长的是太极春秋大刀，他所用的大刀刀头重 30 斤，刀柄是桑木做的。

邢喜怀再传张楚臣。张楚臣是山西人，他到赵堡后，开始是经营鲜菜铺，后来生意兴隆，就改为粮行。他品行端正，在赵堡镇备受尊敬。邢喜怀与他结识后，两人结拜为异姓兄弟，邢喜怀将赵堡太极拳传授给他。

张楚臣传陈敬柏和王柏青。陈敬柏的家族从祖父陈文举开始在赵堡镇落户，父亲陈来朝出生在赵堡。陈敬柏名叫陈基，敬柏是他的字。张楚臣见陈敬柏人品端正、办事可靠，就收他为徒，传他赵堡太极拳。陈敬柏武功高强，广收门徒，将赵堡太极拳推到了鼎盛时期。据说跟他学拳的有八百多人，其中得他一技之长的有 16 人，得到他基本传授的有 8 人，而全面继承他拳艺的只有张宗禹一人。陈敬柏神奇的太极拳功夫在他晚年还保持着炉火纯青的状态。在赵堡，至今还流传着他年过八旬与人比武的故事。山东有个外号“黑狸虎”的武士，勇猛异常，曾经在一次切磋技艺时败给陈敬柏。10 年后，他又来到赵堡镇，要找陈敬柏讨回面子。这时，陈敬柏已经八十多岁。两人在玉皇神庙柏树林中交手，“黑狸虎”仗着自己身强力壮，步步紧逼，招招致命。陈敬柏步步相让，圈圈连环，将“黑狸虎”的凶猛进攻一一化解。陈敬柏且战且退，来到一棵大柏树前。“黑狸虎”以为陈敬柏年老力衰，没有还手之力了，他紧追上前，用出绝招“黑虎掏心”，左手出其不意地在陈敬柏面前一晃，右手如迅雷般直奔陈敬柏胸口。陈敬柏应以赵堡太极拳中的“伏虎”招法，不理“黑狸虎”左手的虚招，身体稍微向左引化，左手往下一搂“黑狸虎”的右拳，右拳佯攻“黑狸虎”胸前。“黑狸虎”急忙用左手格开陈敬柏的右手，陈敬柏乘势以一个“分门桩”把“黑狸虎”挤飞出去，“黑狸虎”的头正好撞在大柏树上，当场毙命。不久后，陈敬柏也去世了，家人把他安葬在赵堡村西北。故有“打死黑狸虎，累死陈敬柏”之说。陈敬柏的孙子陈鹏也是赵堡太极拳的一代名家。现在，陈敬柏在赵堡镇的传人有两支，现任赵堡太极拳总会副会长陈学忠就是陈敬柏的后人。

近年来，在陕西铜川发现了张楚臣的另一位传人王柏青保存的赵堡太极拳历代宗师王宗岳、蒋发、邢喜怀、张楚臣等人的拳论，以及他自己所写的太极拳论著《太极秘术》。王柏青在雍正六年（1728年）所写的序言中说，他跟张楚臣学赵堡太极拳学了四十多年。从王柏青太极拳论著中关于赵堡太极拳“以神打人”“以气打人”“以形打人”的绝妙论述看，他是一个武功非常高深的太极拳大家。从《太极秘术》看，在张楚臣年代，王宗岳的《太极拳论》等著作已经在赵堡太极拳门人中流传。但是现在无法考证王柏青是哪里人，如果不是赵堡村人，那么赵堡太极拳在蒋发先师后的第二代传人，就可能打破了赵堡太极拳不出村的规矩。

陈敬柏传张宗禹。张宗禹是赵堡镇人，关于他的记载流传不多。除了历代相传他是陈敬柏的传人之外，在杜元化《太极拳正宗》中有记载：“陈（敬柏）先生欲扩张此术……能统其道者惟张宗禹先生一人。”

张宗禹传张彦。张彦从小跟爷爷张宗禹习拳，在赵堡被称为“神手”“神拳”。张宗禹临终前将太极拳的拳谱和绝艺传给张彦，张彦不负重托，下苦功练拳，功夫达到了登峰造极的地步。张彦一生行侠仗义，专好打抱不平，很多故事流传于世，著名的有在山东曹县为民除“三害”，当地人尊他为神。

张彦传陈清平和张应昌。关于张彦传陈清平，据陈敬柏后人陈学忠的家传资料记载，张彦与陈敬柏的孙子陈鹏是朋友，陈鹏介绍陈清平给张彦，说陈清平为人正直、年轻好学，并且十分喜爱太极拳艺，请张彦收他为徒。张彦听从了好朋友的建议，将太极拳传给陈清平。陈清平的祖上从山西迁入温县，落户在赵堡镇小留村，到了十三世，陈万拔、陈万选兄弟俩从小留村迁入王圪垱村。陈万拔有两个儿子陈锡辂和陈锡章。陈锡辂又从王圪垱村迁入赵堡镇，陈锡章仍住王圪垱村。陈锡辂就是陈清平的父亲，在赵堡镇上开粮行、棉花店、酒作坊，道光二十五年冬（1845 年）病逝。陈清平 1795 年生于赵堡，父亲去世后他继承家业，1868 年去世。

陈清平是赵堡太极拳历史上一位具有改革开拓精神的宗师，他除了将拳艺传给儿子陈河阳、陈汉阳外，还教了很多徒弟，并且因材施教，将赵堡太极拳进一步发扬光大。他总结形成了赵堡太极拳的代理、领落、腾挪（杈拖）、忽雷四种练功方法，这四种练功方法虽然在形式上有所不同，但其内劲转动、内丹修炼、拳理拳法运用，实是一致的。陈清平的传人有陈景阳、陈汉阳、和兆元、牛发虎、李景颜、李作智、任长春、武禹襄、张敬芝等人。和兆元善练赵堡太极拳的代理架，曾走镖赴京，与武林界切磋，一时威震京城，并受封武信郎。任长春精领落练法，善教学，被誉为太极拳名家。李作智善练腾挪架（杈拖），拳艺远近闻名，其徒于 1931 年参加开封打擂名列前茅。李景颜有“铁胳膊”之称，长于忽雷架。

河北永年人武禹襄仰慕太极拳术，后到赵堡镇拜陈清平为师学习太极拳。时逢陈清平遭遇官司，武禹襄就通过在舞阳县当县令的哥哥武澄清疏通官场关系，使陈清平幸免于难。陈清平十分感激武氏兄弟，就将赵堡太极拳的精要练功方法教给武禹襄，并传他太极拳秘诀。后来，武禹襄将陈清平所教发扬光大，创编了武式太极拳。

张应昌是张彦的儿子，被尊为“少师”。有资料说张应昌得到了陈清平的传授。据道光三十年六月重修的赵堡五道将军堂碑记载，张应昌是当时的执事会首。根据当地风俗，能当会首的必须是 40 岁以上的人。道光三十年时陈清平 55 岁，张应昌的年纪应与陈清平相差不大，他也应得到了张彦的传授。

在赵堡太极拳的历史传承中，陈清平是一个非常关键的人物。社会上一直流传着陈清平入赘赵堡的说法，这也成为学术界争论的一个焦点。2016 年 3 月，因引渠灌溉工程从赵堡村西经过，赵堡村几处坟地需迁移，陈通家祖坟也在迁移之列。陈家祖坟于 3 月 20 日挖出，一共有 32 口棺材，3 月 23 日葬于村东（图 1、图 2）。由此可见，陈清平的祖上已在赵堡村定居。

图 1　陈家祖坟迁移现场照片

图 2　陈清平墓墓碑

在3月21日迁移陈家祖坟时发掘出陈清平的墓碑，碑上刻有墓志（图3），原文如下：

图3　陈清平墓志铭（拓片）

皇清太学生云西陈公

墓志

公，讳清平，温东赵堡家也。锡辂公生子三人，长即公，其次清安，又次清光。兄弟怡怡。公母氏任，谙家政，为公娶王氏佐理焉。生子二，长河阳，幼入邑庠，次汉阳，早没无出。侧室耿氏生女一。女子共四。孙一，钧，女孙一，皆河阳出。公生于嘉庆元年九月十一日，卒于同治四年八月二十九日，享寿七十岁。

同治四年十月下旬志

进入 20 世纪，赵堡太极拳的传承与发展经历了三个阶段。

第一阶段是 20 世纪 20~30 年代。

19 世纪末，社会内部震荡，动乱不断，赵堡太极拳的发展受到很大影响，转入低潮。在 20 世纪 20~30 年代，赵堡太极拳才得到一次较大的发展。这个阶段的主要标志是张敬芝、和庆喜的授拳和杜元化《太极拳正宗》一书的出版。

张敬芝是张应昌的传人，他长期在赵堡教拳，将太极拳传给了村人王连清和侯春秀等人，在赵堡镇影响较大。和庆喜是和兆元的孙子，从小得到祖父的传授，到中年时因家庭困难而弃拳经商。到他 70 岁左右，国家提倡武术强种救国，他就在师弟陈桂林的协助下重新教拳。当时向和庆喜学拳的有郝玉朝、郭云、郑伯英（字锡爵）、和学敏、郑悟清等人。郑伯英参加了 1931 年在开封举行的国术比赛，并勇夺冠军。

杜元化是任长春的传人，他在青年时接触赵堡太极拳就被这一绝艺折服，后在老师的指导下刻苦练拳，终于掌握了太极拳的精髓。在被聘为河南省国术馆教授时，他将老师所传和自己的体会以及在赵堡名师张敬芝的帮助下收集的资料进行整合，以极大的热情写成赵堡太极拳的划时代著作《太极拳正宗》。这部著作包含赵堡太极拳的源流、理论、练法、架式以及有关秘诀等内容，保留了赵堡太极拳一些近乎失传的理论和秘法，是一部能够全面系统地反映赵堡太极拳全貌的著作。这本书一经出版就产生了很大的影响，即便在当代，对太极拳运动也有重要的指导意义。他还与河南省国术馆馆长陈泮岭等人参与了陈鑫《陈氏太极拳图说》一书的订补工作。

在赵堡太极拳进入较好的发展时期时，日本发动了侵华战争，占领了整个河南。同时，黄河泛滥成灾，淹没了家园，蝗灾连年发生，毁坏了庄稼。赵堡太极拳传人流离失所，被迫到处逃荒，赵堡太极拳的发展也进入低谷。

第二阶段是20世纪50~60年代，赵堡太极拳的恢复阶段。

中华人民共和国成立后，国家大力推广和发展传统武术，赵堡太极拳获得了新的发展机遇。在20世纪30年代末，逃荒到陕西西安的赵堡太极拳传人郑伯英、郑悟清、侯春秀等人开始在社会上传授赵堡太极拳，并参加了一些比赛。

郑伯英在中华人民共和国成立后加入西安市武术协会。1952年5月，他参加西北五省武术观摩大赛，表演了赵堡太极拳，在社会上引起关注。后来他在西安公开传授赵堡太极拳，再次闻名于世。赵堡太极拳的另外两位传人郑悟清、侯春秀也在西安广泛传拳。从此，居住在西安的赵堡太极拳传人将太极拳推向社会，并辐射到西北数省。

在这一时期，赵堡太极拳在赵堡镇也得到逐步恢复。赵堡太极拳名家王泽善和另一位拳师陈照丕一起在温县举办太极拳培训班，较早地推广了太极拳。王泽善在赵堡任武术教师，主要教授赵堡太极拳和各种器械，曾率赵堡镇武术队参加了省级和市级的武术表演赛。每逢节假日，他便带领武术队在赵堡镇各乡村表演赵堡太极拳。太极名家刘士英此时也由僧人还俗，向村人传授赵堡太极拳。在赵堡村，村民们也对自己祖上所传的太极拳进行了回忆和整理，出现了一批认真练武的青年人。在西安的赵堡太极拳传人张鸿道等人也纷纷回到赵堡，传授、指导赵堡太极拳的练习，特别是向后起之秀传授赵堡太极拳的技击要领，对赵堡太极拳的中兴起到了关键作用。

正当赵堡太极拳蓬勃发展时，“文化大革命”不期而至，太极拳不能公开练习了。过去传承下来的大量太极拳资料、遗物、兵器等被当作“四旧”销毁，大批太极拳名师、爱好者被批斗，太极拳的传播再次遭受挫折。但是，很多赵堡人认为，太极拳是祖上留下的宝贵文化和财富，不能断，也断不了。他们在夜深人静时偷偷练习，赵堡太极拳在民间才得以继承下来。

第三阶段是 20 世纪 80 年代至今，赵堡太极拳发展到新的阶段。

改革开放以来，国家发出了挖掘整理民间武术的号召，为赵堡太极拳的发展提供了新的机遇。赵堡太极拳迎来了发展的春天，在国内外得到了较为广泛的传播。

1980 年，在赵堡乡（当时的称谓）党委、政府的支持下，赵堡太极拳总会成立，会长由赵堡村领导吴金增担任，副会长为侯魏邦、王海洲、陈学忠、王庆生、郑钧、刘耀森等，秘书长和学俭，总教练由王海洲兼任。总会对赵堡太极拳的未来发展做出了整体规划。总会联络了散居全国各地的赵堡太极拳传人，提出了“进一步弘扬赵堡太极拳，为造福人类做出贡献”的口号。总会在赵堡村设立 13 个太极拳授拳点，在中小学开设太极拳课程，安排专人收集赵堡太极拳的历史资料、遗物等，并对赵堡太极拳的历史进行系统整理。同时，还筹集经费，成立赵堡太极拳武术队，培养赵堡太极拳人才。打破赵堡太极拳“拳不出村”的村规，安排拳师认真教授来村学习的太极拳爱好者，并向居住在赵堡镇的太极拳拳师颁发证书，鼓励他们走出赵堡到全国各地授拳。

赵堡和各地的太极拳传人还将各自的赵堡太极拳套路、理论、秘诀整理成书出版。王海洲先后编写出版了《秘传赵堡太极拳》《赵堡太极剑、太极拳、太极棍、太极单刀、太极春秋大刀、太极散手合编》《杜元化〈太极拳正宗〉考析》《赵堡太极拳诠真》《赵堡太极拳十三式》《赵堡太极拳秘传兵器解读》等图书以及 VCD 教学光盘等；刘会峙出版了《武当赵堡传统三合一太极拳》；原宝山出版了《武当赵堡太极拳大全》；宋蕴华出版了《赵堡太极拳图谱》，等等。这期间，关于赵堡太极拳的书籍大量面世，为世人进一步了解和深入学习赵堡太极拳展示了一个全新的视野。

近 30 年来，赵堡太极拳总会积极组织赵堡太极拳名家和选手参加在全国各地举办的各种太极拳会议和赛事，大力宣传赵堡太极拳的独特理论、技击方法和养生之道。目前，已经在全国范围内建立了大量的赵堡太极拳组织。美国、日本、德国、葡萄牙、韩国、泰国、新加坡、马来西亚等国家和我国香港、台湾地区的太极拳爱好者也来到赵堡镇学拳，一些国家还成立了赵堡太极拳研究会。

二、杜元化与《太极拳正宗》

杜元化所著《太极拳正宗》一书，于 1935 年在河南开封出版。这是第一部系统论述赵堡太极拳拳理拳法的重要著作，对于赵堡太极拳习练者以及武术史研究者都具有非常重要的价值。

根据《太极拳正宗》自序中的叙述，杜元化是河南怀庆府河内县人（今沁阳市），1869 年出生在西尚镇义庄。受本村尚武传统的影响，杜元化自小随本村牛玉璠老师学拳，包括七十二路战捶、炮捶、五合、六合、七贯等外家拳术。后于清光绪三十一年（1905 年）拜任长春为师学习赵堡太极拳，历经五载，直至任长春仙逝。三年劲始过，懂得铅汞之意，再二年学完全部手法。任长春教拳都是在夜深人静时才开始讲授太极拳秘诀，杜元化将这些秘诀进行回忆并一一记录下来。任长春去世后，杜元化又到赵堡镇向师叔张敬芝学习拳。杜元化尊师重道、持之以恒，深得师传，较为全面系统地掌握了赵堡太极拳的拳理拳法。

1931 年，杜元化通过考试成为河南省国术馆武士，兼任裁判，并开办武术班教授赵堡太极拳。至第二期，学员自行筹集资金请杜元化将他所学之赵堡太极拳编辑成册出版，以便他们研读学习。不过，书编成后，资金却出了问题，导致无法出版。杜元化非常伤心，甚至因此离开国术馆。后来，学员们将出版资金追回，才使《太极拳正宗》一书于 1935 年得以正式出版。可见，杜元化对此书倾注了大量心血，书籍的出版也是一波三折。

三、如何阅读和理解《太极拳正宗》

《太极拳正宗》是赵堡太极拳的一本启蒙书。杜元化在书中运用中国道家文化中的阴阳、五行、八卦等理论来讲述太极拳，首次提出并构建了赵堡太极拳的理论和训练体系，指出赵堡太极拳的核心秘密在于背丝扣，真正的秘诀是“一太极图之中而十三式俱现”，习练赵堡太极拳自始至终必须遵循七个规则，历经七层功夫，做到一式之中十三劲俱现，通过四肢上十三劲的长期演练修炼出丹田内的背丝扣，继而由丹田的内动带动四肢百骸的运动，从而实现太极拳养生和技击的功效。

《太极拳正宗》以陈泮岭序、刘丕显题词、太极拳溯始、自序、太极拳启蒙序、太极拳缘起、练法、太极拳启蒙规则、总括、总歌兼体用连联解、太极拳总论（附歌）、太极拳目录、太极拳十三式手法起源之图、背丝扣图解、太极拳启蒙练法四则、背丝扣详解的章节顺序进行编排，共计 138 页，内附 99 张背丝扣图和 100 张动作图。全书虽然以半文言文编写，但由于采用繁体字印刷，竖排无标点，给现代读者阅读造成较大的困难，严重影响了读者对本书的理解。这次受北京科学技术出版社邀约，将《太极拳正宗》一书再次影印出版，同时附以简体字版本，希望能够给读者清除阅读障碍，使读者能够把更多的精力放在对书中所载拳理拳法的理解上，使读者拳艺得到进一步提升。同时也期望读者通过阅读本书，对赵堡太极拳的发展历史有一个更加清晰明确的认识。

下面就依章节顺序简要地介绍一下各个部分，便于读者在阅读前有个大致的了解，以便更好地理解各章节的内容。如果需要进一步理解本书，可参阅 1999 年人民体育出版社出版的《杜元化〈太极拳正宗〉考析》一书。

《太极拳正宗》的第一部分，是河南省国术馆馆长陈泮岭和副馆长刘丕显为本书作的序和题词。陈泮岭馆长在序言中首次提出“赵堡镇之太极拳”的概念，认为赵堡太极拳虽“湮没弗彰”，却“名实相副”。

在第二部分“太极拳溯始”中，杜元化简单地讲述了赵堡太极拳的源流与传承。蒋发先师将太极拳传入赵堡后的传承，在前面部分已经详细叙述过了。但王宗岳之前的源流，一直存有争议，而道门中的传承历来有言祖不言师的传统，更是给太极拳的源流披上了一层神秘的面纱。书中记载，王宗岳在教拳的时候告诉蒋发先师，太极拳历史悠久，有歌为证：“太极之先，天地根源，老君设教，宓子真传。玉皇上帝，正坐当筵，帝君真武，列在两边。三界内外，亿万神仙，传与拳术，教成神仙。”认真分析，可看出此歌道明了太极拳的真源，又通过隐语说明“无极生太极，太极生两仪”“一生二，二生三，三生万物”的道理，通过练习太极拳可以得道成仙的功能。蒋发先师学成归家之时，其师王宗岳嘱咐他：“汝归家，此术不可妄传。并非不传。汝传是不得其人不传，果得其人，必尽情以教之。倘得人不传，如同绝嗣。能广其传更好。”这说明，赵堡太极拳有着严格的择徒要求，师父对徒弟进行长期的观察和考察后，方能决定传与不传。任长春告诉杜元化说：“此拳本是修身炼气之术、长生不老之基，打人尤其余事。”此语道破太极拳的真实功能：太极拳是以人身比天地，以人身之动作仿太极，使人延年益寿而已。

第三部分是“自序”，杜元化讲述了自己学习赵堡太极拳的经历以及编著本书的缘起。“自序”通过任长春与杜元化的一问一答，说明太极拳是一种“本乎天道”、遵从“自然”的拳术。任长春告诉杜元化说：“人身即天地，天地即太极，太极之内分出先后天。练斯拳者，以后天引先天，其中有无数层折，均须一层挨一层，不得躐等，否则无效。练至心肾归丹，催动铅汞，安轴安轮，并且与天地合德，指人腹背而言；与日月合明，指人耳目而言；与四时合序，指人肺肝而言；与神鬼合吉凶，指呼吸而言。能明此，延年益寿。”此番精彩对话令杜元化神往，他下定决心拜任长春为师学习赵堡太极拳。

第四部分是“太极拳启蒙序”。在这里，杜元化首次引入“背丝扣”的概念。杜元化认为，人身的背丝扣是天地之根源，即太极之根源，是无极之中的背丝扣，是练人身太极的基础，两仪、四象、八卦以及太极拳都是在这个基础上演化的。在初习太极拳时每式都在划空圈，处于混沌混圆状态，在逐步增加三直、四顺、六合等规则后慢慢形成背丝扣。本章节名为启蒙（也叫“联”），虽然是入门功夫，却也是贯穿全书的纲领，是太极拳的本体论。

第五部分是“太极拳缘起”。“太极拳缘起”是一个“无极图”，也就是一个空圈。此时，天地未分，阴阳未成，一片混沌。但是，其中也不是什么都没有，似乎有阴，似乎有阳，恍恍惚惚的。这个就好像在习拳之初只知道一味地划空圆圈，手上、脚下不懂得阴阳，但在划空圆圈的过程中又似乎能感觉到阴阳变化的存在，懵懵懂懂，这种状态便是处于无极之中。

第六部分讲述了赵堡太极拳的“练法”。杜元化以天地之混圆、三直、四顺、六合、四大节八小节、不撇不停、不流水来比人身，说明在练习太极拳时也必须从混圆、三直、四顺、六合、四大节八小节、不撇不停、不流水做起。只有刻苦修炼，将层层练过之后，才知道混圆一变即是背丝扣，背丝扣再一变即成太极。

第七部分是“太极拳启蒙规则”。杜元化详细讲述了练习赵堡太极拳必须遵循的七个规则及其具体要求。正如上段所讲的，只有在混圆之中不断加入七个规则的要求，方能练成背丝扣、练成太极。因此，这七个规则是任何一个赵堡太极拳练习者必须首先做到的最基本的要求，否则难以实现太极拳的养生和技击的功用。

第八部分是“总括”。杜元化列举出了赵堡太极拳的“四梢”，要求太极拳的每一个动作都要做到“气行四梢”。但是，赵堡太极拳的“四梢”与其他各派略有不同。赵堡太极拳的“四梢”是指“牙齿为骨梢，舌头为肉梢，指甲为筋梢，毛孔为气梢”。除了骨梢、肉梢、筋梢都是一样的外，其他各派太极拳的第四梢都是指血梢，即“发为血梢”。因此，杜元化的提法有所发展，更能确切地体现赵堡太极拳的独特之处。蒋发先师的拳诀讲，“筋骨要松，皮毛要攻，节节贯串，虚灵其中”，就是说太极拳要练到每个毛孔都打开，能感觉到非常细微的变化，异常灵敏。

第九部分是“总歌兼体用连联解”。提起太极拳的十三势，一般都认为是“掤、捋、挤、按、採、挒、肘、靠、进步、退步、左顾、右盼、中定”，即“八门五步”。在这个章节中，杜元化提出了赵堡太极拳独特的十三式概念，即“圆、上、下、进、退、开、合、出、入、领、落、迎、抵”十三个字，并结合道家哲学理论，总结出赵堡太极拳的七层功夫，即“一圆即太极，上下分两仪，进退呈四象，开合是乾坤，领落错震巽，迎抵推艮兑”，以“联”为体，七层功夫为用，一层挨一层，一层密一层，层层递进，环环相扣，不得躐等。杜元化在书中对每层功夫的状态、练法及用法都做了精辟的描述，并明确指出“命名十三式，此是真秘诀”。也就是说，“其中所包一圆、两仪、四象、八卦，各有秘诀，一丝不紊。一太极图之中而十三式俱现，秘莫秘于此矣”。杜元化认为学习赵堡太极拳是有秘诀的，而且必须要有正宗传授。

第十部分为“太极拳总论”。杜元化将陈清平传下的“举步轻灵神内敛，莫教断续一气研，左宜右有虚实处，意上寓下后天还”这一歌诀逐句进行注解，认为这是教人单做背丝扣顺逆动作时的要求，而背丝扣正是练习赵堡太极拳彻头彻尾的真功夫。两张附图描述了习练赵堡太极拳时左、右两手六阴六阳的变化路线，当左手从六阴逐渐变为六阳时，右手则从六阳逐渐变为六阴，反之亦然。其实，把两张图叠在一起，便是一个太极图的形状。这里需要读者认真揣摩，后面各势的背丝扣图与此紧密相关。

第十一部分是“目录”。杜元化将赵堡太极拳分为十三节，共六十四势。

第十二部分是“太极拳十三式手法起源之图”。书中讲：“本太极拳十三式手法由天道起，中包六十四势，每势要练够十三字，即一圆、两仪、四象、八卦是也，末以天道终。余师云：苟非其人，道不虚传。”书中绘有十三式手法起源图，这是赵堡太极拳的奥妙所在。起源图中包含上下两组一圆两仪四象八卦，每组一圆两仪四象八卦可以理解为一个人“十三劲俱全”，而两组一上一下颠倒组合在一起则可以理解为两个人在互相推手。起源图的中间有三句话，即“流行者气，对待者数，主宰者理”，这是理解十三式手法图的难点。为此，可以把这三句话理解为赵堡太极拳的三个层次：第一层是“流行者气”，即初练时是运用身体四肢的动与静，促使体内气血在经络中运行，时间久了气血动转自然就有了规律，最后形成丹田运转来带动全身各个部位；第二层是“对待者数”，主要是讲赵堡太极拳一百零八式的攻防意图以及在技击中的应用，即赵堡太极拳以阴阳化生为主宰，以动静机变为实践，上用八法（八卦）变化，下用五行配合；第三层是“主宰者理”，即赵堡太极拳自始至终用“顺项贯顶两膀松，束肋下气把裆撑，威音开劲两捶争，五趾抓地上弯弓”“举步轻灵神内敛，莫教断续一气研，左宜右有虚实处，意上寓下后天还”“拿住丹田练内功，哼哈二气妙无穷，静分动合屈伸就，缓应急随理贯通”三个秘诀作指导，要求在每一式的演练中同时体现这三个秘诀，方能练出太极拳的功效，同时也说明了“拳无理不精，理无拳不明”的道理。杜元化在本书的最后一页对十三式手法图的绘制做了特别说明：

“余所编皆系余师任老夫子所传，其一生所绘总图及十三样手法之图仅两见。在先，与余师兄陈四典绘过一次，陈已没世，其次余焉。此外，未闻再绘。”这段话道明了十三式手法图的来源。

第十三部分是“背丝扣图解”。杜元化在这里绘制了六十四势的手上背丝扣图，共计 99 张，并通过以线条配“起、折、止”等文字说明的形式将每势双手上的向背、顺逆变化表达出来，便于读者阅读和理解。其中，部分拳势绘有多个背丝扣图。

第十四部分是“太极拳启蒙练法四则”。杜元化在进一步叙述六十四势的练法之前，议定每势的动作、变化、姿势、方向四个方面，并将该势的背丝扣变化图、动作文字说明、身体各个部位的要求、动作姿势图以及方向集中在一个页面，方便读者阅读。同时，杜元化也再次强调，本书为太极拳启蒙，叫“联”，是赵堡太极拳的本体论。按照本书的四则练过之后，才能进入“一圆即太极”等七个“用”的层面。

书中的后续内容，是详解六十四势。这部分图文并茂，文字相对容易理解，读者认真揣摩即可明白，不冉赘述。

最后，衷心感谢参与本书编辑的弟子以及杜元化后人的支持。

王海洲

太極拳正宗

乙亥年夏初

固始朱絅題

陳序

拳術大宗有二、一曰少林為外家一曰武當為內家外家練形氣內家練神理外
家是由外固內內家是由內達外其為內外交修歸極則一也世所傳太極拳精微奧
妙名同實異者寔繁有徒今尚有湮沒弗彰河南温縣趙堡鎮之太極也余觀
其拳係師承懷慶温縣蔣先生發蔣生于明萬歷二年學拳于山西太谷縣王林
禎王之師曰雲遊道人有歌曰太極之先天地根源老君設教密子真傳必子而後代
有傳人因姓氏未傳不克詳徵至三丰神而明之發揚廣大號曰武當派其後曰雲
遊道人數傳至趙堡鎮其術由[illegible] 大要其術神理兼妙通天地人而成一家可[illegible]

養生可以禦侮技也近于道矣余酷嗜拳法歷訪名家冀得其精秘不料今得杜先生育萬所著秘而不傳太極拳尚解十三勢公之同好方覺太極拳名實相符其說尽以人身比天地僧僧対照悉以後天引先天發出丹田中先天真氣身体自然強健純是一等觔力竊聞強種救國以強健身體為上乘而其拳術若是對於強健身体尤為握要之最妙者始由天道起中抱六十四勢每勢練够十三樣手法即一圓兩儀四象八卦是也末以天道終然杜先生由是而學所以教人循循善誘不願獵等余樂其第一冊初成爰誌數語以勗同志勉學焉

中華民國二十四年五月

河南省國術館館長陳泮嶺謹序

神而明之
存乎其人

劉玉頲題

太極拳溯始

余

先師蔣老夫子原籍懷慶溫縣人也生于大明萬歷二年世居小留村在縣之東境距趙堡鎮數里之遥

至三十二歲學拳于山西太原省太谷縣

王老夫子諱林楨事師如父學七年禮貌不稍衰師亦愛之如子據聞

王老夫子學于

雲遊道人學時即告以此拳之來歷久矣此拳何自來乎有歌為証歌曰

太極之先　天地根源

老君設教　殁子真傳　玉皇上帝　立坐當是　帝君真武　列在兩邊　三界內外

億萬神仙　傳與拳術　教成神仙　今將此歌此道以及諸秘訣傳之于汝汝必擇人而傳

不可不慎所以

蔣老夫子學成之後歸家之時

王老夫子囑曰汝歸家此術不可妄傳并非不傳汝傳是不得其人不傳果得其人必盡情以教之倘得

人不傳如同絕嗣能廣其傳更好歸家之隨其村與趙堡鎮相距甚近趙堡有

邢喜槐者素慕

蔣老夫子拳術絕倫因素無瓜葛無緣從學旁逢

將老夫子到鎮相遇必格外設法優待希圖浹洽意在學拳如此
將老夫子閱二年之久見其持己忠厚有餘待人誠敬異常察知其意始以此術傳之其中奧妙無不盡
洩其後有
張楚臣者
邢先生之同盟弟也想其人不大必端所以
邢先生又盡情授給之
張楚臣先生原籍山西人也初在趙堡鎮以開鮮菜鋪為業後駿發改作糧行察本鎮
陳敬柏先生人品端正凡事可靠所以將此術全盤授之其後
陳先生欲擴張此術廣收門徒至八百餘能得其一技之長者十六人能得其大概者八人能統其道
者惟
張宗禹先生一人其後傳給其孫　張先生彥先生又傳給　陳先生清平　清平先生傳給其子
景陽及本鎮其少師　張應昌和兆元牛發虎李景顏李作智任長春張敬芝歷代傳人很多不能
備載以上所錄諸老夫子皆有事跡可考另註有冊　余師書云此拳本是修身鍊氣之術長生不
老之基打人尤其餘事試觀此拳無論何層統是因人之同然隨人之自然其實不外乎個人一心

之本然至其或動或靜無非主宰流行與對待不然何以名曰太極如就此拳統論之全是以人身
比天地細分之又是以人身之動作仿太極太極分動靜屈伸虛實剛柔包藏至道略舉數端以明
弁非無稽之言忽見得如說動靜屈伸歌云靜分動合屈伸就說虛實歌云左宜右有虛實處說剛
柔歌云極柔極剛極虛靈說至道歌云一羽不加至道藏這都是按人身之動作與太極合確確有
據世皆謂是
三丰祖師所傳余亦特信想當彼時
三丰祖師因世亂隱居武當號曰丹士將此拳練至神化之域技冠當代名著環球朝野之人無不欽佩
在武術中不亞
孔子在文學內集群聖之大成所以斯術號為武當派名曰
三丰傳然究其根則此拳之發源不自此始何則據余
師所聞云此拳乃係
老子所傳惜余
師等皆早仙逝余言無處可徵雖無處可徵有前歌尚存說是
尹子真傳即此一句可以証明尹子即號曰尹文始為老子之高徒越五世傳

三丰則庶幾與余師等歷代相傳之歌語然余不過謹據所聞如此亦未敢確為决定今世皆說是　三丰所傳亦猶余敝處多說是　蔣老夫子所傳又猶現在余敝處說是　清平老師所傳然此均非無稽之言按實此拳是吾學家体育一法即　三丰祖師亦非斤斤然以此拳名世不過藉此為練丹之術使世人知練此術者可以延年益壽久之真能練至純陽即可云仙由是觀之謂為　三丰所傳謂為　文始所傳謂為　蔣發所傳謂為　清平所傳皆是也總一歸本于　老子所傳方可謂之真源

自序

余

師任先生諱長春沁陽縣境東南西新庄人也務在余村教授五年聞言云練太極拳者若不知此中秘訣與各層圖解雖朝夕用功或整年累月甚至練數十年之久亦彼意謂只要有工夫就能造成高手妙手吾謂徒妄想耳可為之下一斷語譬如愚人妄想昇仙騎瞎漢夜走入深山不惟無益甚且有損余謂此云確是有關之言學者甚勿視為平淡之語

自序

拳術為我國〻粹蓋世之通論也余世居沁陽義庄初學拳于余村 牛老夫子玉璿教有七十二路戰捶以及砲捶五合六合七母貫練法以戰捶為根據乃余村數百年之流傳凡在幼時無不鍛練不上三年將打破關拿確實指點即能作用能此凡謂技出人上自覺可謂罔群者不過如此余友崔玉文之姊丈張生全素號太極拳家不知其僅學一聯每至余村說太極拳高出一切頻與戲鬥伊無不失敗其心雖是不服無奈余何被張生全忽于光緒三十一年春偶携一人童顏鶴髮飄〻然來儒雅異常溫和可親說是沁溫兩縣太極拳專家余暗計伊係文人狀態量無特長因故問太極拳有何奇術伊云毫無奇術只一自然而已余追問何謂自然伊云本乎天道不尚勉強余謂練拳与天道何關請道其詳伊從容言曰人身即天地天地即太極太極之内分出先後天練斯拳者以後天引先天其中有無数層折均須一層挨一層不得躐等否則無效練至心腎歸丹催動鉛汞安軸安輪並且與天地合德指人腹背而言與日月合明指人耳目而言與四時合序指人肺肝而言与神鬼合吉凶指呼吸而言能明此延年益壽于是乎在余聞至此不禁神馳曰不圖為拳之至於斯也即請先生肯傳人否伊云苟非其人道不虛傳使宿辭去余方俯首敬請姓名伊云姓任名長春世居沁温兩界村名新庄别後余友崔君愛慕殊深余則滋甚因語余曰世有如此妙手你我聘以重幣延之為師更加優待何愁不傳轉眼春去夏來即於本年六月特將

任先生聘來余父與先生亦極其相契至晚云吾僕逞多年未獲受家汝等要是同俗學打吾誠厭教要是學過沒恒就勢不要入手余即应曰生先要看余等可教誓學尽為止先生大喜随施教焉後漸增益徒七人每逢夜静方以秘訣口授余皆秘用筆記學至三年余勤始過方如所謂鉛汞者如此猶記第三年臘月二十一日余師因過年歸家去後勤忽不過不啻如至寳至二十三日心神俱乱決意赴温求師余父不允余心欝々無可奈何至二十四日奉父命進城購物乘此機直奔新庄至時余師驚曰汝來何幹余以实對師曰易々至晚有客將余悶壞客去更深命同榻就寢至五更背師私起自練余師忽醒指名呼余不要再練師急披衣下榻用手一點其勤即過至天明余即返沁归家又二年方將手法學全余師心喜余亦欒甚約云以後只用乾坤顛倒顛余更楽甚如此安忍一日相離哉那料自五月归家獲病至七月廿六日竟一病不起即仙逝矣彼時余親視含殮兼送歸窆雖痛之失声天实為之謂之何哉嗣後對拳術幾無心練延至民國二十年本省立國術館考取武士余叨列評判孜畢即設班訓練又充教授至第二期學員親自積資邀余將余所學編輯成冊以備摹彷那知冊成被阻未印令余無異抱荊山之泣遂後余亦離館將冊作廢今學員將款追出又邀付印將所輯一冊先行付印其或有遺失錯謬望有識者為指迷津

中華民國二十四年　五月　　河南沁陽附生杜元化謹序于汴垣

太極拳啓蒙序

竊聞余

師述蔣老夫子所傳趙堡鎮太極拳只太極之先天地根源二語盡之何則太極即天地也太極之先即無極也天地根源天地仍太極也根源即無極中之背絲扣也背絲扣既為天地根源即為太極之母也今編述太極拳第一冊名曰啟蒙因其中動作着々混圓與天地之元極同由着々混圓歷三直四順六合等々令人身之混圓而造為背絲扣與天地根源同既與天地之根源同則人身之背絲扣非即為人身練太極之母乎既為人身練太極之母則太極拳之基實肇于此太極拳之基既肇于此則其中所練之兩儀四象八卦誠無不肇于此矣然此冊本名曰聯貫為太極拳入門之初步所以名之曰啟蒙撮其要旨則曰經領舉其全體則曰太極拳正宗

中華民國 二十四年五月

河南沁陽杜元化序于汴垣

杜元化印

无極圖

太極拳緣起

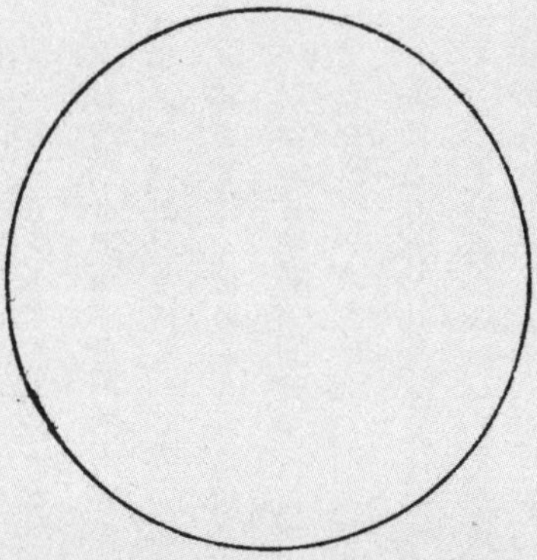

圖解

空圈之中天地未分恍恍惚惚陽中有陰恍惚之際又覺不僅陽中有陰遂像陰中有陽究竟辨其何為陰何為陽彷彿似按不實若謂其無陰與陽儼然實有此陰陽之現象亦不得謂其為無至于積久而陰陽自分當未分之時故曰无極人身亦猶是也當初練拳時亦不知其何為陽何為陰縱有時覺察亦在恍惚之中故亦號曰无極

練法

當洪濛之時天地未分無邊無際混圓而已恍恍惚惚其中含有三直四順六合四大節八小節雖在恍惚之中絶未見其氣有撇有停毫無主宰而踏　流水此天地未分之現象也人身亦然如天地是混圓人身無處不是混圓天地有三直是上中下人身亦有三直是頭身腿天地有四順是寒温暑凉人身亦有四順是手身腿脚天地有六合是上下四方人身亦有六合是手脚肘膝膀胯天地有四大節是春夏秋冬人身亦有四大節是兩膀兩胯天地有八小節是四立二分二至人身亦有八小節是兩手兩肘兩膝兩胯天地旋轉未見有撇有停是氣數人身動作亦是不撇不停亦是氣數不過未免有時嫌滞天地有主宰是理而不流水是節候人身亦是有主宰是心而不流水是節制不過未免有時稍混所以吾人本太極以造拳必須從三直四順六合四大節八小節不撇不停不流水做起為練拳洪濛之時所以名曰无極雖説與天地斤斤有關並非外鑠強為牽拉也然非修練經過者不知若將此段層練過其中之混圓一變即是背絲扣斯拳之聯備矣再由背絲扣一變即成太極練至此正氣機變化之幾也然此是未變太極以前之事故強曰无極亦名曰聨

太極拳啟蒙規則

(一)空圈

一勢一勢都練成空圓圈即是無極即是聯故每勢以轉圓為主不須斷續不須堆窪如此做去方為合格

(二)三直

頭直身直小腿直三者何以能直細分之是不前俯不後仰不左歪不右倒不扭膀不掉胯自然上下成直

(三)四順

順腿順脚順手順身四者何以能順細分之是手向左去身順之去腿向左去脚亦順之去推順脚時先將脚尖撩起隨勢而動切記不可抬高移動身之重點向右順亦然

(四)六合

手與脚合　肘與膝合　膀與胯合　心與意合　氣與力合　筋與骨合

(五)四大節八小節

兩膀兩胯為四大節膀為梢節之根胯為根節之根周身活潑全賴乎此八小節兩肘兩膝

兩手兩脚節節隨膀隨膀換次運動免全絡滯自能順隨與膀膀矣一

(六) 不撤不停

每動一着左手動右手不動為撤右手動左手不動亦為撤脚之作用與手同不到成勢時止住是為將勁打斷名曰停犯此無論如何鍛鍊勁不接連終無效用

(七) 不流水

每一着到成時一頓意貫下着是為勢斷意不斷如不停頓一混做去謂之流水犯此到發勁時因勢無節制勁無定位必致勁無從發此宜深戒

總括

四梢

每一動作行手四梢此為練拳者之必要有歌為證

歌曰

牙齒為骨梢　舌頭為肉梢　指甲為筋梢　毛孔為氣梢

總歌兼体用連聯解

一圓即太極

此層從背絲纏絲分出陰陽其練是纏法其用是捆法此層圖解歌訣列在此卷之首

上下分兩儀

此層陽升陰降陽輕陰重其練是波瀾法其用是就法此層圖解歌訣列在此卷之首

進退呈四象

此層半陰半陽純陰純陽互為往來其練是萬法其用是伏貼法此層圖解歌訣列在此卷之首

開合是乾坤

此層天地相合陰陽交合其練是抽扯法其用是撐法此層圖解歌訣列在此卷之首

出入綜坎離

此層火降水升水火沸騰其練是催法其用是回合法此層圖解歌訣列在此拳之首

領落錯震巽

此層雷風鼓動有起有伏其練是抑揚法其用是激法此層圖解歌訣列在此卷之首

迎抵推艮兌

此層為口為耳能聽能問彼此通氣共練是稱法其用丈虛靈法此層圖解歌訣列在此卷之首

總而合之為十三因各有效用故不得不別之為十三命名十三式

其中所包一圓兩儀四象八卦各有秘訣一絲不紊一太極圖之中而十三式俱現秘莫秘于此矣此是真秘訣

秘戒學者慎重傳人切忌濫授萬萬勿輕施

是歌均繪有圖有解有練法有通俗有由體達用共分七層連聯而為八聯雖不歸致用不列歌內其寔為致用之母況歌中七層皆由此而生此層為練拳洪濛之世如初學時自始至終無非混混沌沌莫明其故迨練至背絲扣心中恍惚才有一點明機而太極之步實肇于此矣故歌從一圓即太極起

太極拳總論 附歌

歌云 河南懷郡溫邑趙堡鎮陳清平

舉步輕靈神內斂　莫教斷續一氣研

左宜右有虛實處　意上寓下後天還

一舉步周身俱要輕靈尤須貫串氣宜鼓盪神宜內斂

歌云

舉步輕靈神內斂

勿使有凸凹處勿使有斷續處其根在腳發于腿主宰于腰形于手指由腳而腿而腰總須完整一氣向前退後乃得機得勢有不得機得勢其病必于腰腿間求之

歌云

莫教斷續一氣研

虛實宜分清楚一處自有一處虛實處處總此一虛實上下前後左右皆然

歌云

左宜右有虛實處

凡此皆是意不在外面有上即有下有前即有後有左即有右如意要向上即寓下意若將物掀起而加以挫之之力斯其根自斷乃壞之速而無疑總須周身節節貫串勿令絲毫間斷耳

歌云

意上寓下後天還

背絲扣為太極拳之母是此拳徹始徹終工夫此論此歌是教人單做背絲扣順逆動作之法故以總稱之

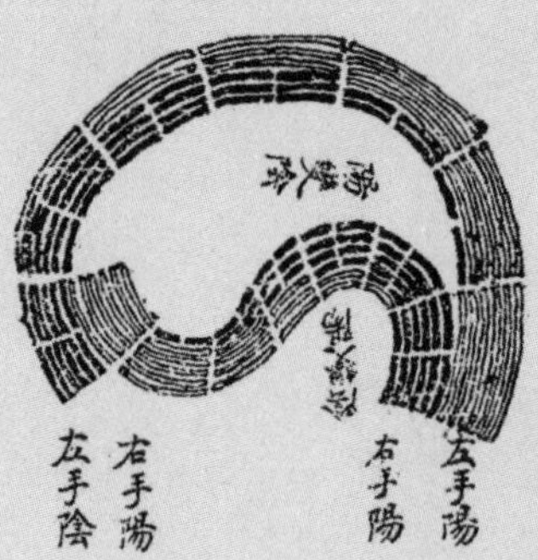

太極拳目録

太極拳十三式手法起原之圖

本太極拳十三式手法始由天道起中包六十四勢每勢要練够十三字即一圓兩儀四象八卦是也末以天道終 余師云 苟非其人道不虛傳

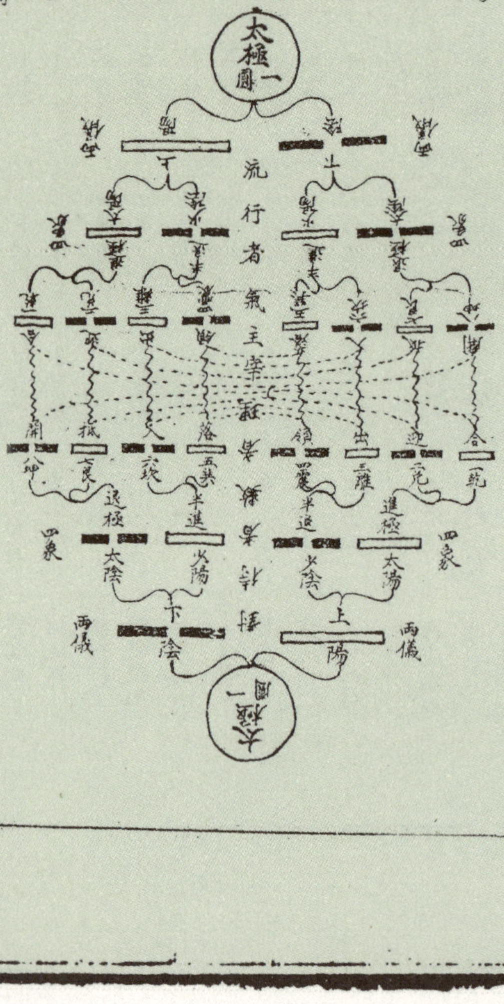

背絲扣圖解

背絲扣為太極拳徹始徹終工夫其所以然者何哉蓋以太極拳之動作姿勢彷彿若是也試觀空圈之中恍恍惚惚其氣機發出一種現象一向一背分順分逆非象夫背絲扣乎非象夫太極中一明一暗之曲線乎故以背絲扣名之寔以背絲扣代之切望練斯拳者要以斯圖為妙有事方能尋着太極拳之真門徑准可造出太極拳之真鉛汞由是循序漸進則庶乎其不差矣

金剛搗碓

(1)

(2)

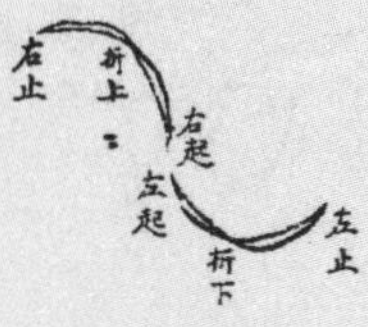

(3)

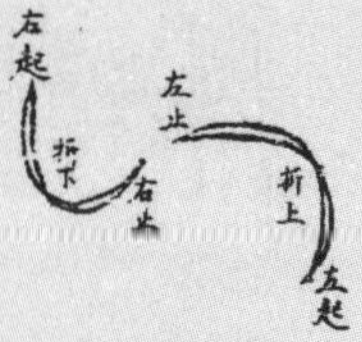

(4)

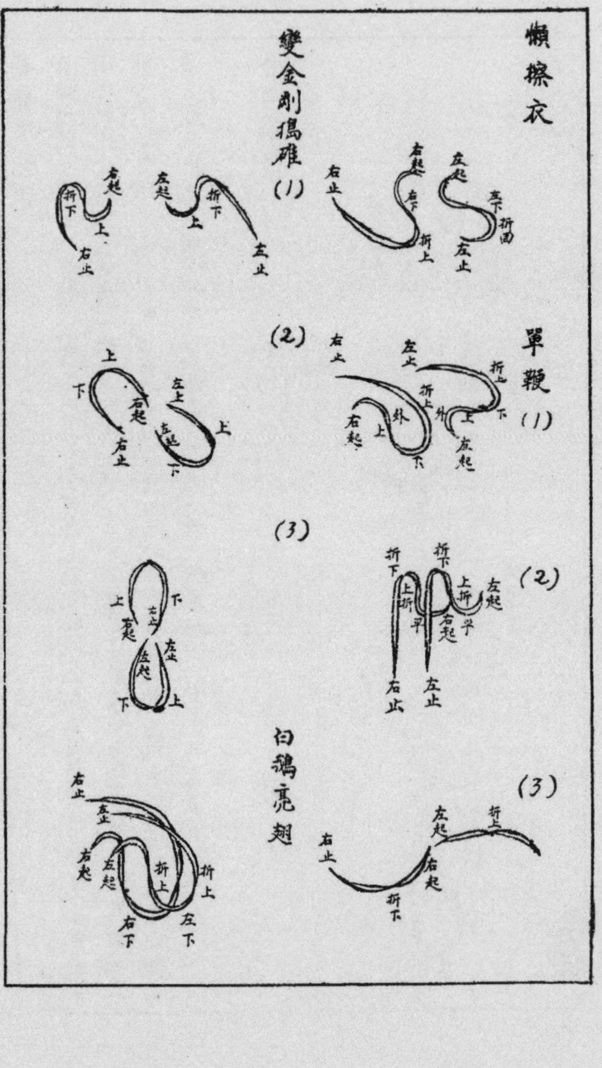
懶擦衣
變金剛搗碓
(1)
單鞭
(1)
(2)
(2)
(3)
(3)
白鵝亮翅

摟膝拗步

(1)

(2)

(3)

(4)

斜行拗步

(1)

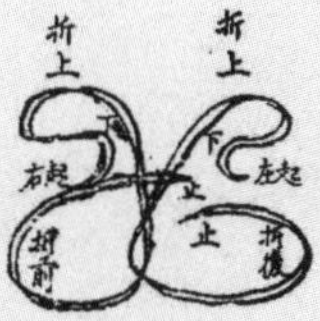

(2)

(3)

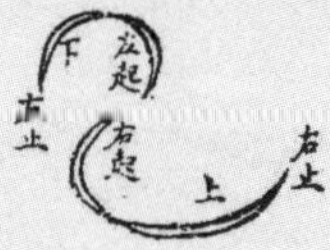

建前堂

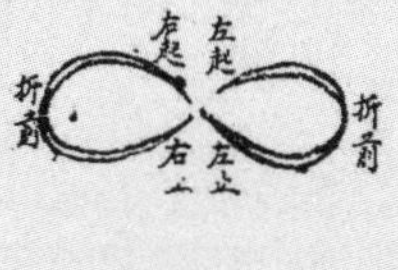

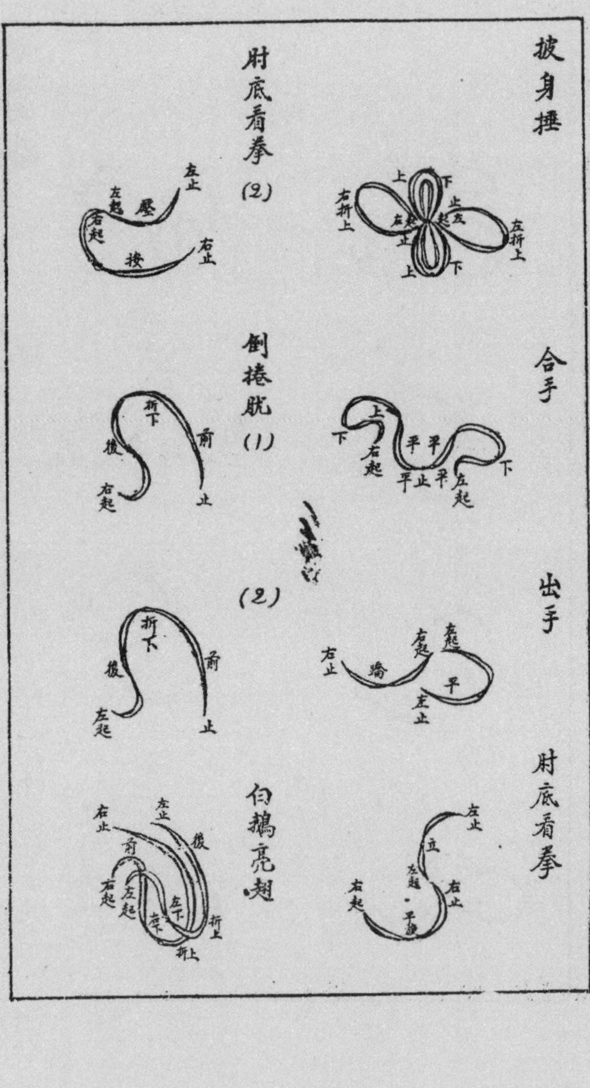
披身捶
合手
出手
肘底看拳
肘底看拳
(2)
倒捲肱
(1)
(2)
白鹅亮翅

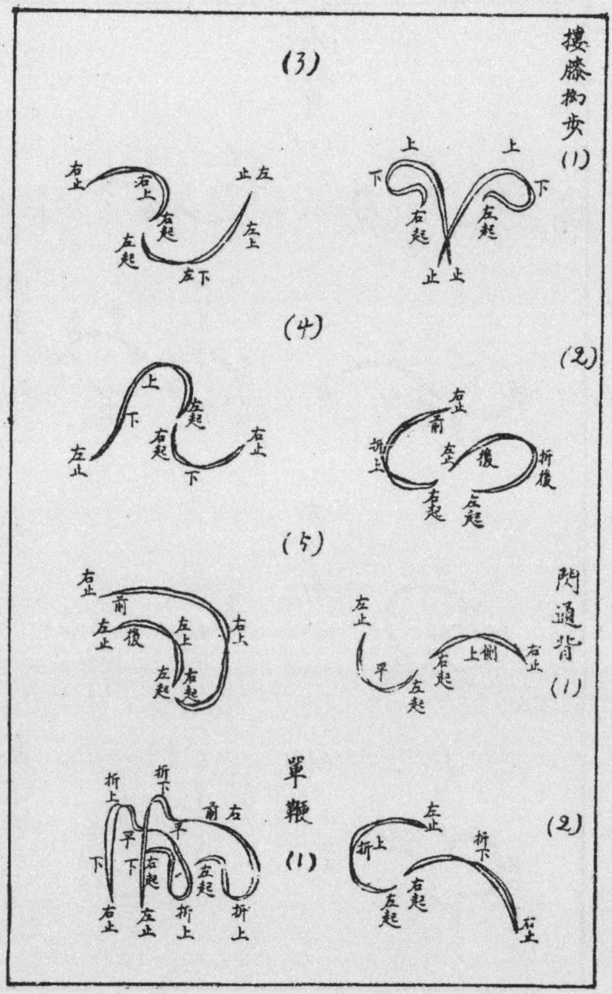
摟膝拗步
(1)
上
下
右起
左起
止
(2)
右止
前
折上
左上
後
折後
右起
左起
(3)
右止
右上
右起
左起
左下
左上
止左
(4)
上
下
左起
右起
左止
右止
下
(5)
右止
前
左止
後
左上
右上
左起
右起
閃通背
(1)
左止
平
左起
右起
上側
右止
(2)
左止
折上
折下
右起
左起
右止
單鞭
(1)
折上
折下
前右
平
下
左起
右起
右止
左止
折上

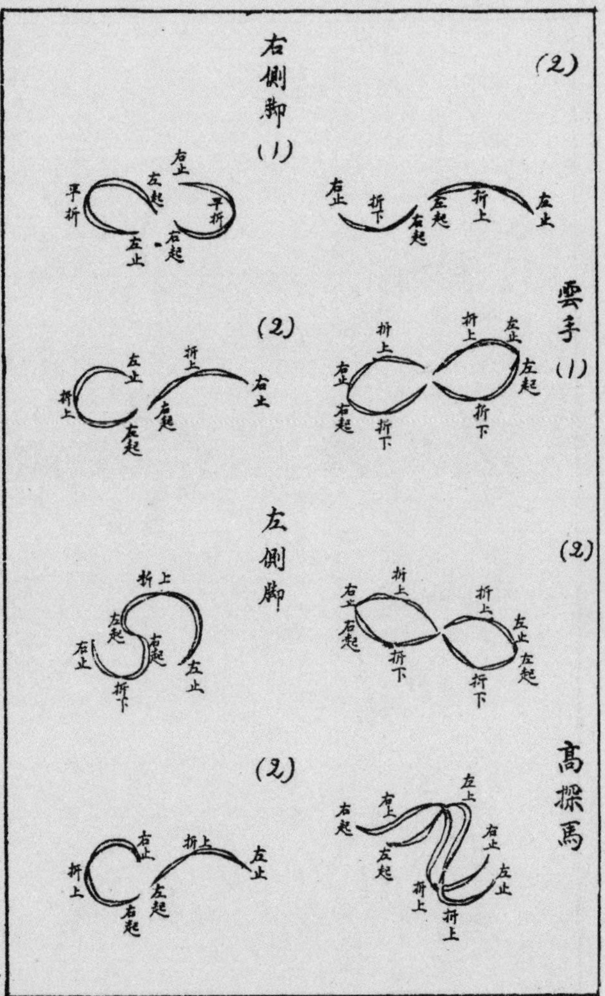
(2)
右側脚
(1)
(2)
雲手
(1)
(2)
左側脚
(2)
高探馬

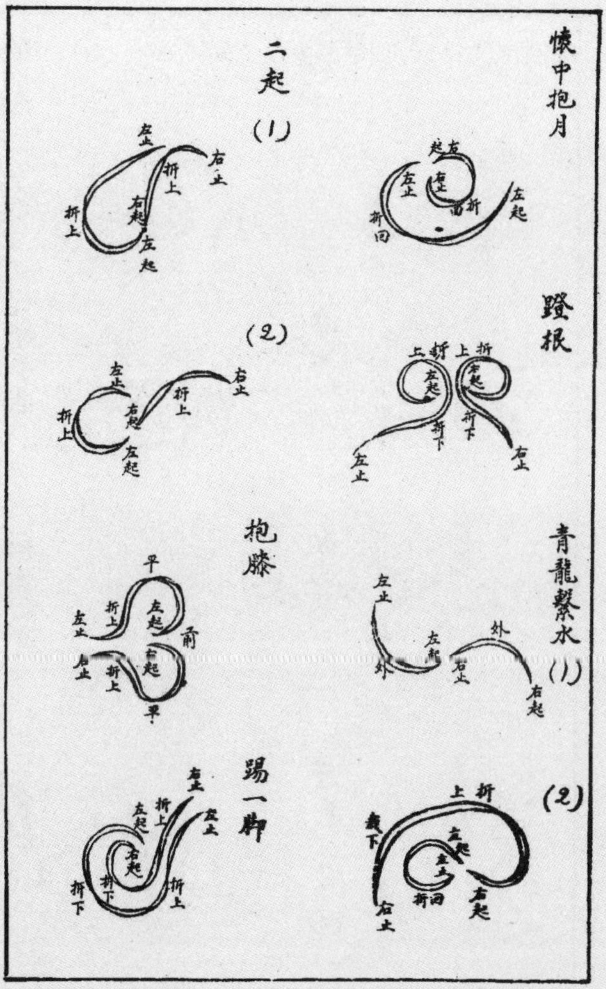
懷中抱月
蹬根
青龍繫水
(1)
(2)
二起
(1)
(2)
抱膝
踢一腳

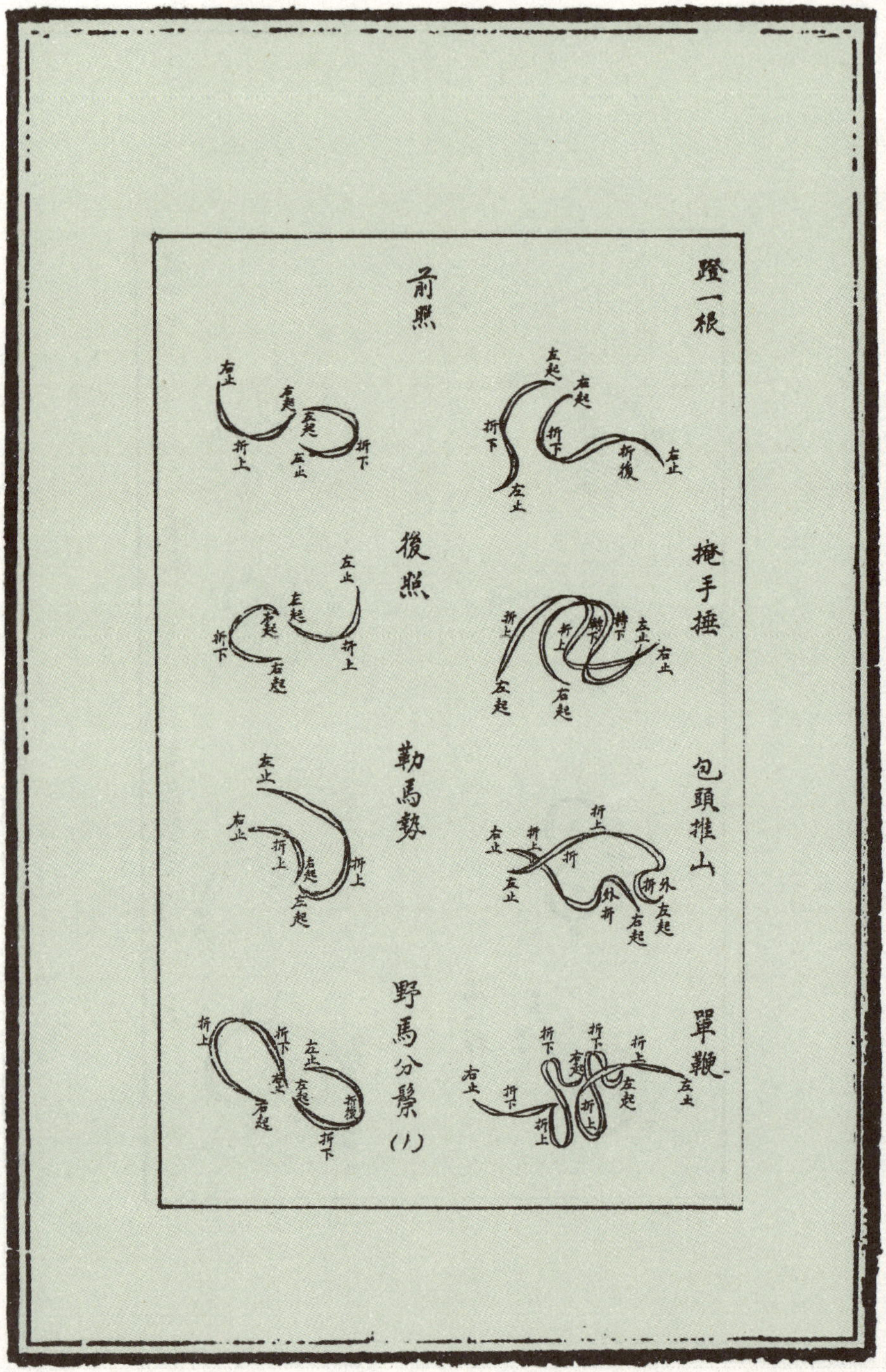
蹬一根
掩手捶
包頭推山
單鞭
前照
後照
勒馬勢
野馬分鬃(1)

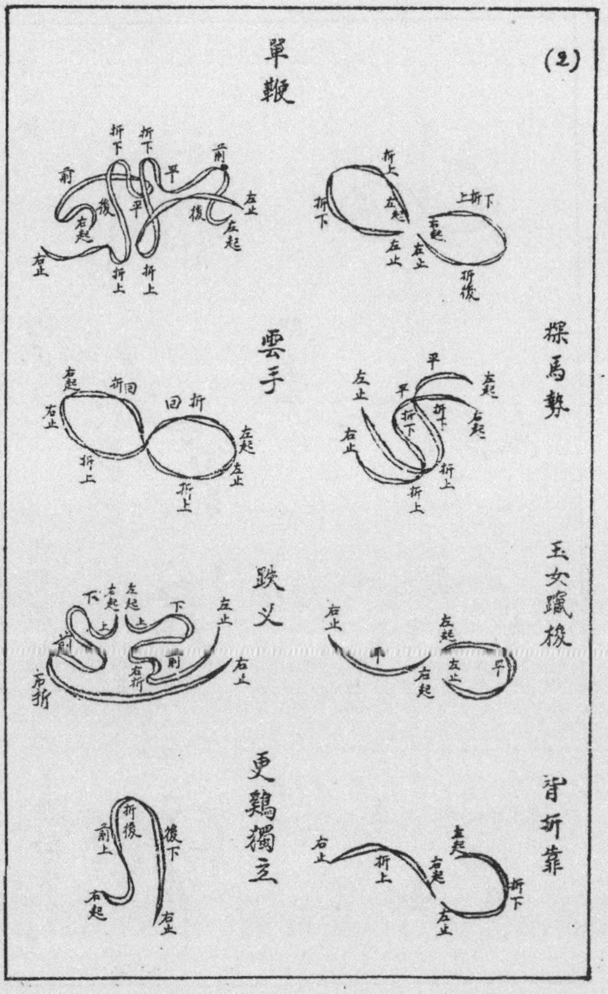
(2)
單鞭
探馬勢
雲手
玉女蹿梭
跌叉
背折靠
更鷄獨立

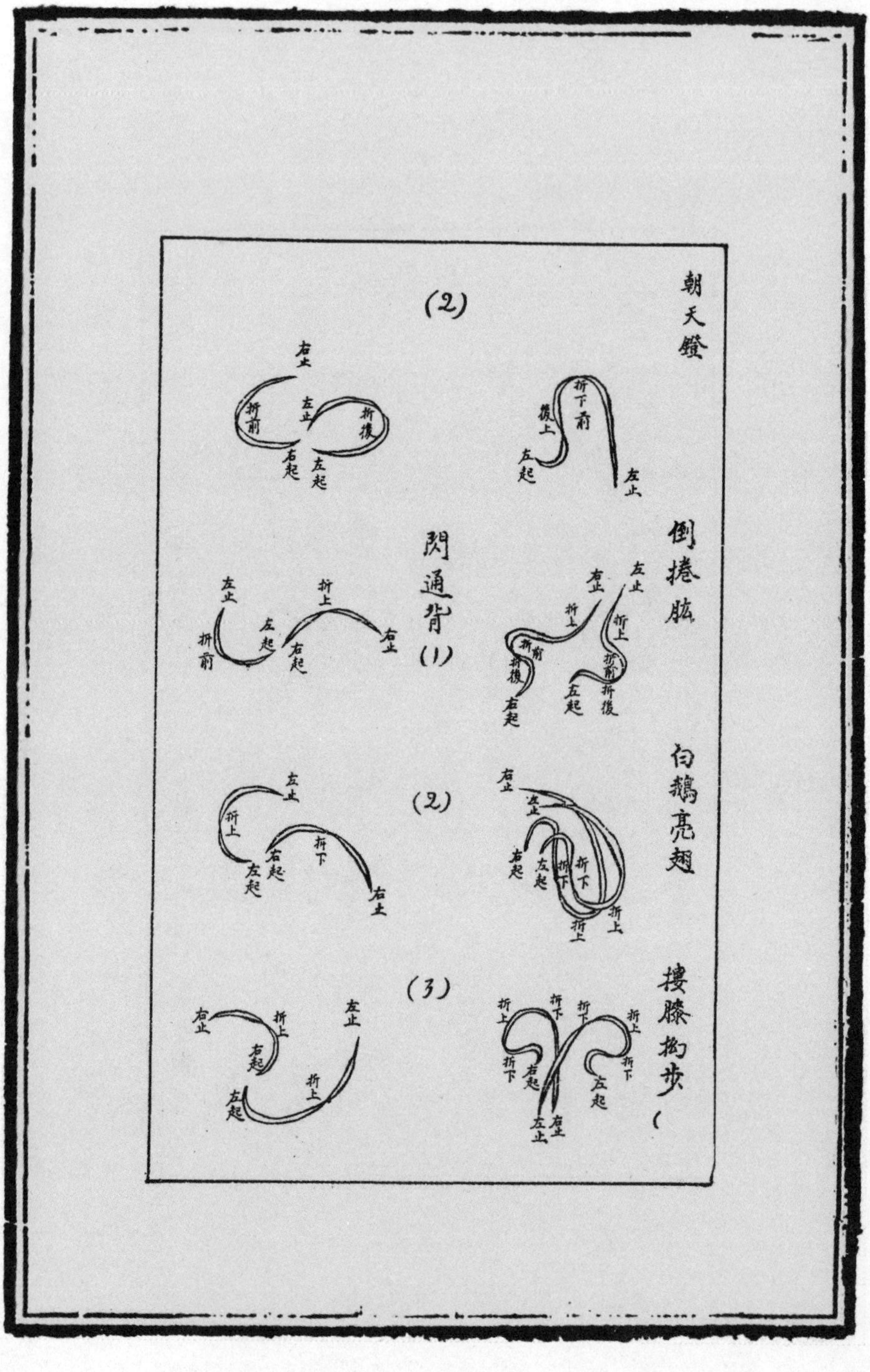
朝天蹬
(2)
倒捲肱
閃通背
(1)
(2)
白鵝亮翅
(3)
摟膝拗步
(
右止
左止
右起
左起
折前
折後
折上
折下
後上

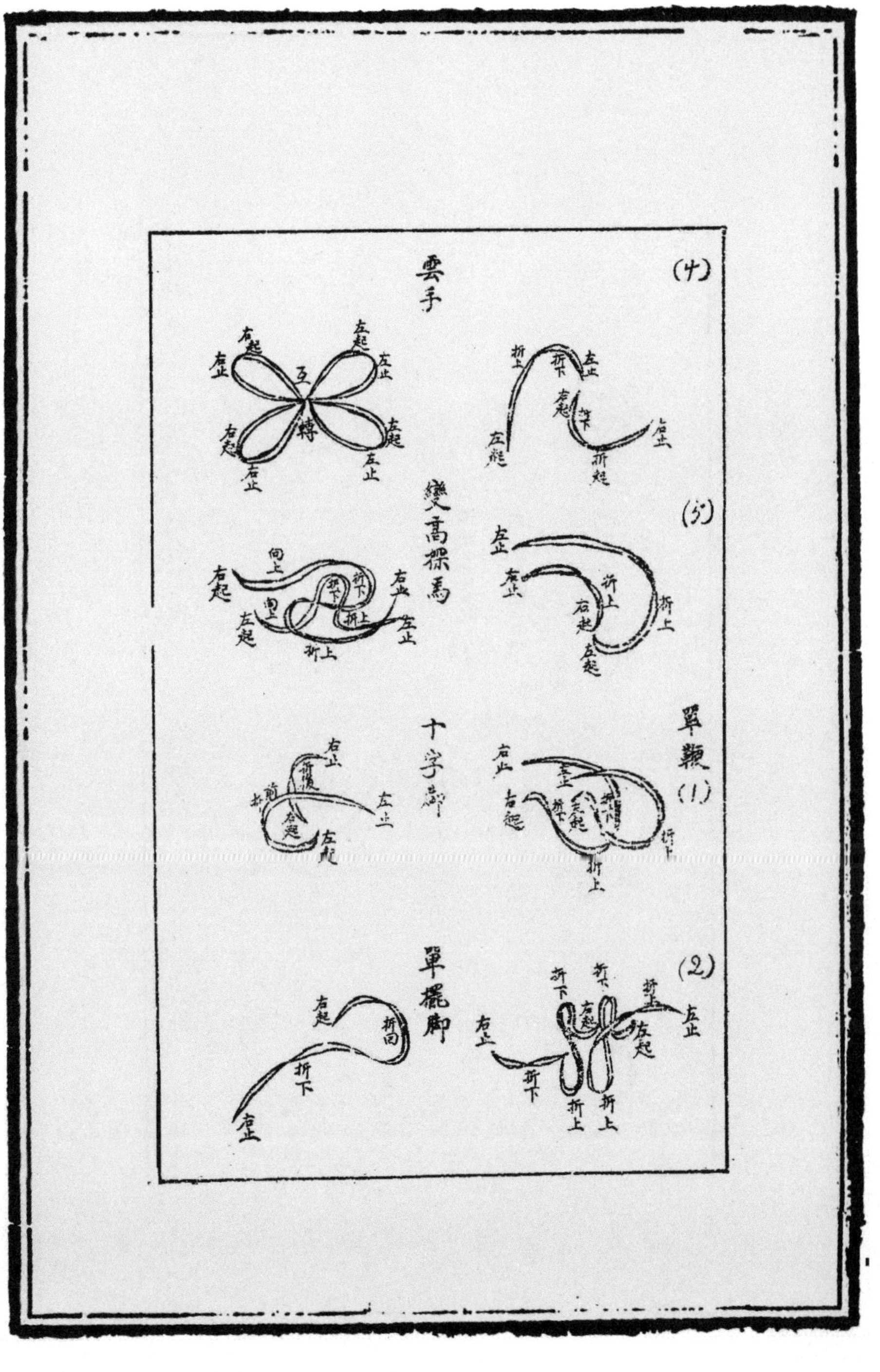
(廿)
雲手
(卅)
變高探馬
單鞭(1)
十字腳
(2)
單擺腳

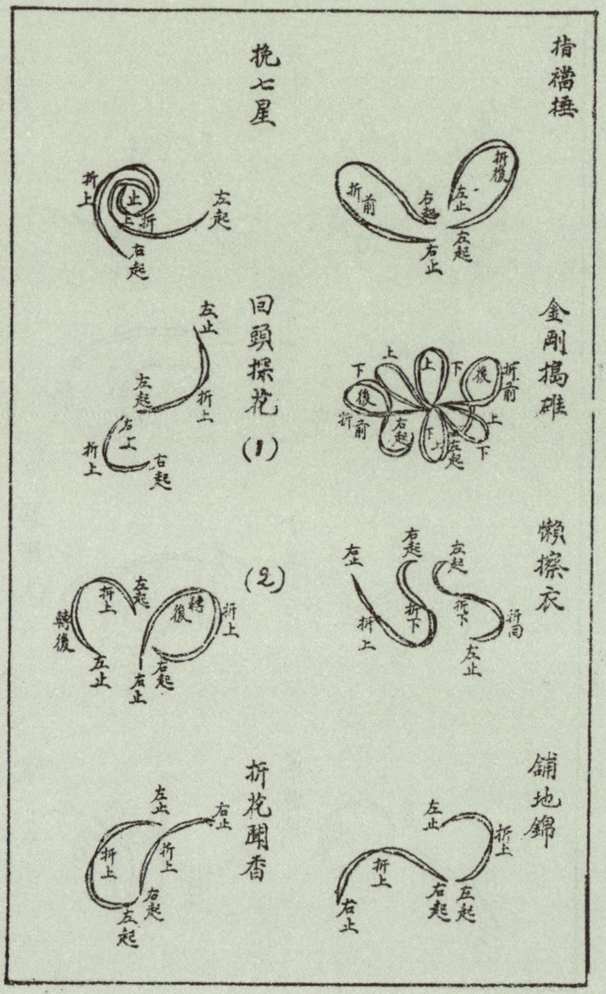
指襠捶
金剛搗碓
懶擦衣
鋪地錦
挽七星
回頭採花
(1)
(2)
折花聞香

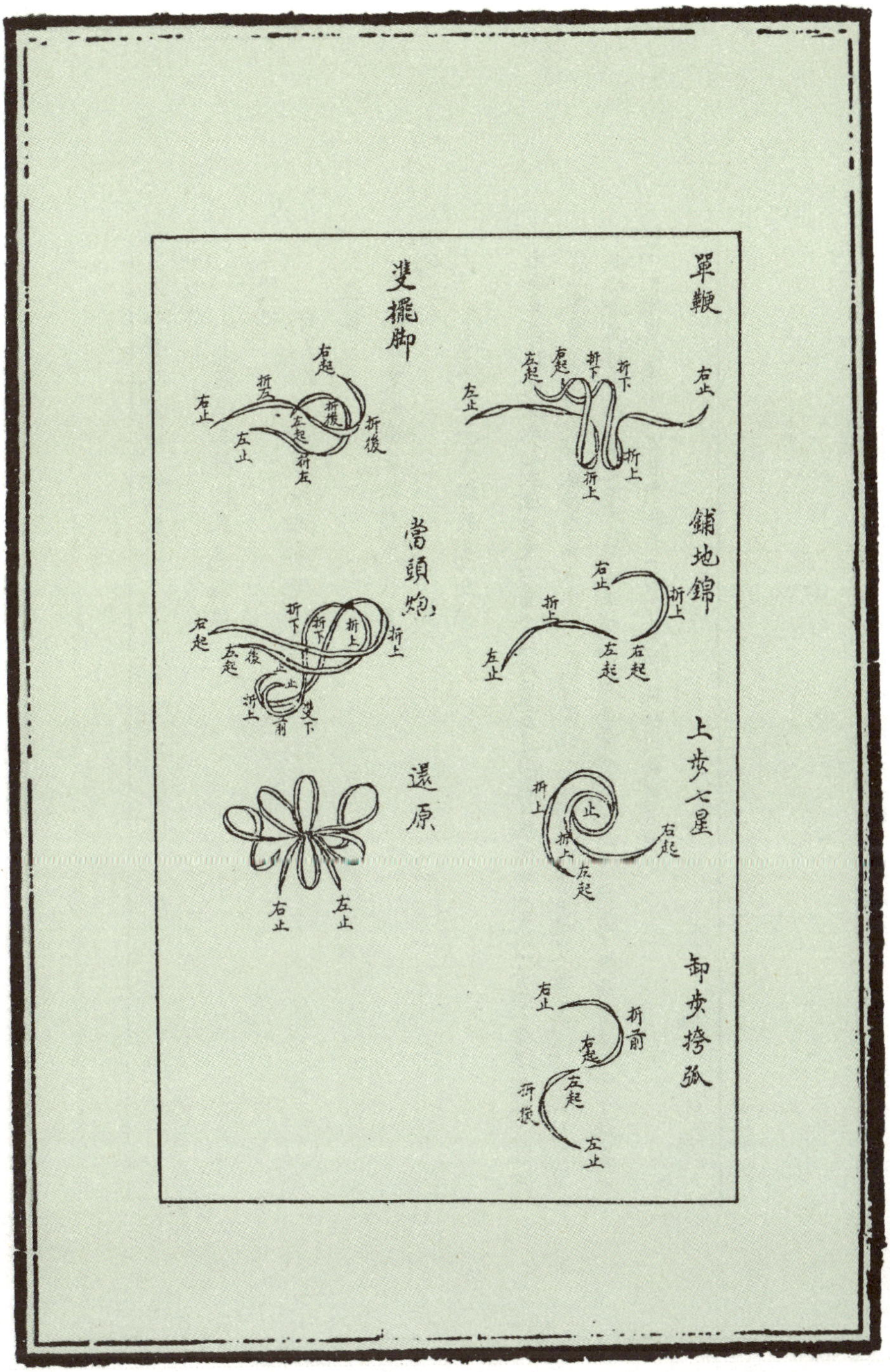
單鞭
鋪地錦
上步七星
卸步跨弧
雙擺脚
當頭炮
還原

太極拳啟蒙練法四則

(一)動作　上下前後左右　往來為動作

(二)變化　自无而有自有而无為變化

(三)姿勢　動作變化擺成架勢為姿勢

(四)方向　立定位置不復挪移為方向

此層名聯即太極拳之本体其後七層方歸諸用每層之用載在総圖歌內可謂一層深一層層深無底一層密一層層密無縫現在欲按層集成卷冊盡述所學付之印刷供献當世惟望海內同志有能切指其疵切指其謬以補余述之不逮方稱盡美誠余之所厚幸也又余之所厚望也學斯層者要注意于此四則此四則練成一律而后才能漸進于一圓即太極以歸諸用故特為誌之

太極拳啟蒙卷首

聯 即无極

金剛搗碓

總解 開始站時如齊、必須兩脚寬窄與兩膀相等、尤須中正不偏不倚、穩如山固、立如杆直、左脚不動、其距離以右脚規定之、至于兩手從兩大腿外、微向後側面一去、虎口朝前、一齊合于兩大腿之前側面、其動作要直、要順、要合、要大小節俱活、要切忌不犯撤停流水為上為貴、方為合格、其要旨以敬靜為主、

方向

向南直立

姿勢

開始姿勢從頭數到脚、是取本体上下順序之意、

一頭 頭宜直豎、二眼 眼宜平視、

三身 身宜端莊、四膀 膀宜鬆平、

五肘 肘宜微曲、六手 兩手下垂虎口朝前、

七胯 兩胯為天機、貴于鬆活、

八膝 兩膝微曲、俱向裡扣

九脚 兩脚朝前順正、脚指抓地、脚後跟踏緊、

(2) 動作 變化

要旨 兩手順腿上至心平、合于胸前與心口齊、

註解『兩手順腿上至心平』、兩手指展開順腿外向前抬起、兜口朝上、拳至心齊『合于胸前』、雙手朝前往裡合手臂朝上『與心口齊』、兩手向裡合至手指結住、令當中成一空圓形、切勿照圖所畫之圖、貼在身上、

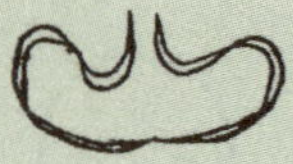

姿勢

動作姿勢、從手脚并說、是取本體往來致用之意、

一手 兩手臂朝上合與心齊結成空圓形、

二肘 兩肘平曲、合于胸前、

方向

面向正南

三膀 兩膀平鬆、勿架、

四頭 頭仍直豎、

五眼 眼仍平視、

六身 身勿前俯、

七脚 脚仍朝前、左右蹻齊、

八膝 膝仍微曲、

九胯 胯略向下蹲、

(2) 動作

要旨 動左手，上左脚，右手亦隨之動，

註解「動左手上左脚」左手向右往上拍起，左脚亦拍起，左手左脚順左斜下展開「右手亦隨之動」左手掌朝下，右手掌朝裡，右膝攻起，左膝展直，脚尖蹺起、

變化

姿勢

方向 面向西南

一手 左手向左、下至左膀外、右手向右上至眼齊

二肘 右肘曲、左肘微曲、

三膀 左膀下鬆、右膀上鬆、 四頭 頭微向右側、

五眼 神注右手稍、

六身 身稍向右側、上下斜照

七脚 左脚向左斜蹬去、脚尖蹺起、右脚不動

八膝 左伸右曲、 九胯 兩胯下坐、左虛右定

(3) 動作

要旨 動右手、上右脚、左手亦隨之動、

註解『動右手上右脚』右手往右上起、下到右膝時右手右脚一齊往前上『左手亦隨之動』左手動左脚不動、要用意教他暗動、以後如此勢很多、俱要暗動、

變化

方向

面向正南

姿勢

一手 右手往右下向前去、至右大腿外、左手從左下方上、起至胸前

二肘 左肘曲、右肘微曲

三膀 左膀平鬆、右膀下鬆

四頭 移向正前

五眼 神注左手稍、

六身 身樁直豎

七脚 兩脚移向正前、

八膝 兩膝微曲

九胯 兩胯畧蹲、

(4) 動作　變化

要旨　兩脚站齊、同時右手舉起右脚抬起、左手落下雙手合于胸前、

註解『兩脚站齊、同時右手舉起右脚抬起、左手落下』右手右脚抬起時、右手握拳、前冲上起、左手從上下降、『雙手合于胸前』右手下落、左手上就、一齊向心前合住、

方向　面向正南

姿勢

一手　雙手合于心口、右手握拳、左手抱攏

二肘　兩肘皆曲、下沉、成平面空圈形、

三膀　兩膀平鬆、

四頭　直竪領向上微仰、

五眼　神注兩手、朝前、

七脚　兩脚與身相等、俱順

八膝　兩膝微曲、小腿竪直、

九胯　兩胯微蹲、俱向裡合

懶擦衣

動作

要旨　先卸左手左腳、再上右手右腳、

註解　『先卸左手左腳』左手順勢朝下往左去、手臂朝前、右手隨之、左手至膝外、右手至襠中、左腳亦順手往左去、左膝攻起『再上右手右腳、』右手向上往右去、手掌朝前微側、右膀平鬆、肘微曲、右腳亦隨手往右去、右膝攻起、左膝展開、左腳不動、左手回至左肋、置于其中

變化

方向　面向正南

姿勢

一手　右手梢與眼角齊、左手置于左肋間、
二肘　左肘曲、右肘微曲、
三膀　右膀前鬆、左膀向裡下鬆、
四頭　微向右側、　五眼　神注右手梢
六身　向右方扶直、　七腳　兩腳俱向右斜
八膝　右膝曲住、左膝伸直、
九胯　右胯坐下、左胯壓下、

單鞭(1)　動作

要旨　兩手往前合、左脚前跟、脚掌點地、

註解『兩手往前合、兩手就上勢朝前去、往上轉下、往外向左去復從左往上往裡向右去、兩手合于右上方、左脚前跟、脚掌點地』左手往右去時、左脚隨之往右去、至右方脚掌點地、以助右方之不及、是寔中帶虛、

變化

方向

面向南方

姿勢

一手　兩手左回右上、右手上與眼角齊、左手微低、

二肘　左回右上、兩肘俱曲、

三膀　左回兩膀下鬆、右上兩膀前鬆、

四頭　微向右側、　五眼　左回右上、神注兩手梢、

六身　上下扶照、微向右側

七脚　左回右脚根着地、右上左脚掌着地、

八膝　兩膝微曲、　九胯　兩胯微向下蹲、

(2)

要旨　兩手往右下合、身往下蹲、至大腿平與膝齊、

註解　『兩手往右下合』、兩手從右方下至膝齊、左手在右膝裡、右手在右膝外、兩相合往、『身往下蹲』、胯與膝齊、向下曲以大腿平為度、『至六腿平與膝齊』身蹲至大腿平、令手與膝齊、左虛脚踏寔、

動作

變化

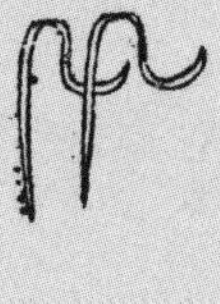

方向　面向南方

姿勢

一手　斐手下至膝齊　二肘　兩肘微曲、

三膀　左右膀下鬆、背向裡合、

四頭　微向右側、　五眼　神注兩手梢、

六身　身往下蹲、將椅扶正、

七脚　兩脚俱朝右側、左脚落寔、右脚移向前、

八膝　膝曲至大腿平、膝盖前攻、

九胯　兩胯下蹲、勿蹲過膝下、

（3） 動作

要旨　兩手上去、上至膀齊、分開左手向上、左展、右手向下、右展、叏肘微曲、

註解「兩手上去、上至膀齊、兩手往上去、身㮇往下」就、「分開左手向上左展、右手向下」右展左手從面前往上向左展開、右手從右方往下向右展開「叏肘微曲」左手上蹻、右手下按、全在曲肘聚氣、

變況

方向

面向正南

姿勢

一手　兩手上至右膀齊、左手上蹻、右手下按拉開右手成撐

二肘　兩肘微曲、　三膀　兩膀鬆開

四頭　微向左側　五眼　神注左手梢、

六身　身梅沉于左方、注意豎直、

七脚　兩脚俱朝左側、　八膝　左膝曲、右膝展、

九胯　左胯下坐、右胯下沉、

變金剛搗碓(1) 動作

要旨 就上式、左右手往上往後、復往前合、兩脚隨之、

註解 左右手往上往後、左右手向上往後折手掌朝上、復往前合、左右手乘後折即向上往前去、手臂朝上、兩脚隨之、左右手朝後折、兩脚向外移、左右往前去、兩脚向裡回、務要雙脚根踏實、

變化

姿勢

一手 左右手後折、手掌朝上、前合、手臂朝上

二肘 右肘曲、左肘微曲、

三膀 兩膀前鬆、 四頭 微向左側

方向 面向正南

五眼 神注兩手梢、

六身 向右側微沉、極要豎直、

七脚 兩脚隨身先外移、後裡回、脚根踏定、

八膝 右膝曲、左膝伸、 九胯 兩胯下墜、

(2) 動作

要旨 右手上去、左手下去、左脚斜蹬、再右手下去、左手上去、右脚前上、

註解 「右手上去」右手往右上方去、手掌側向裡、「左手下去」左手往左下方去、手掌側朝裡、「左脚斜蹬」左脚向左方揀斜蹬去、「再右手下去」右手下至腿外、「左手上去」上至胸前、「右脚前上」上至寬窄與身相等、

變化

方向 面向正南

姿勢

一手 右手下至大腿外、左手上至心口齊、

二肘 左肘曲、右肘微曲、

三膀 左膀平顯、右膀下懸、

四頭 向前直竪、

五眼 神注左手梢、

六身 卓然直立、不俯不仰、

七脚 兩脚並齊、其距離與身寬窄相等、

八膝 雙膝微曲、

九胯 兩胯微下蹲、

(3)

動作

要旨　由兩腳站齊、右手右腳同時舉起、右手上起、左手下落、左手抱右手、合于胸前、

註解　「右手右腳、同時舉起、」右手沿路提拳、「右手上起、左手下落、」右手由外上起、左手由裡下落、「左手抱右手、合手胸前、」左手從外上就、右手從裡下降、一氣合住、

變化

方向

面向正南

姿勢

一手　兩手合于心口、右拳左掌、中空外実、

二肘　兩肘皆曲、　三膀、　兩膀前鬆、左右相停

四頭　豎直領向上微仰、

五眼　神注兩手、向前平視、　六身　身樁直豎

七腳　順直朝前、腳指與腳掌用力、

八膝　兩膝前攻帶曲、同往裡合、

九胯　兩胯略向下蹲、亦向裡合、

白鶴亮翅　動作

要旨　卸左手左脚、跟右手右脚、右脚掌點地、上右手右脚、跟左手左脚、左脚掌點地、

註解　卸「左手左脚」、均往下向左去、跟「右手右脚」、均隨左手左脚向左下、「右脚掌點地」、實中藏虛、上「右手右脚」、均向上往右去、跟「左手左脚」、均隨右手右脚往右上、至右手與眼角齊、左手微低、合于右上方、「左脚掌點地」、以虛助實、

變化

方向

面向正東

姿勢

一手　兩手左下、左手在左膝外、右手置襠中、兩手右上、右手與眼角齊、左手微低

二肘　左下右上、兩肘俱曲、　三膀　左右各鬆

四頭　左下左側、右上右側、皆宜豎直

五眼　神注右手梢、　六身　左下右上、皆要扶直

七脚　左下右虛、右上左虛、　八膝　左下、雙膝俱曲、右上、雙膝微曲、　九胯　左下坐、右上伸、

摟膝拗步(1)動作

要旨　兩手分開、順右膝摟下、至右大腿平、掌與膝齊、左足根蹬至左方、右胯坐實、

註解　『兩手分開、由上左右分、順右膝摟下至大腿平、由分而合、摟至掌與膝齊、左手壓于右手之上、均在膝際』左脚根蹬至左方、『左脚指微向左側身向下蹲』右胯坐實、支持全身、

變化

姿勢

一手　兩手分開下按成交叉勢手臂朝上

二肘　右肘曲、左肘微曲、

三膀　兩膀下鬆、四頭　頭直、微下俯、

方向　面向正東

五眼　神注右方兩手梢、六身　身樁豎直

七脚　右脚踏實、左脚虛承、指略上蹻、

八膝　右膝曲住、左膝伸直、

九胯　右胯坐實、左胯虛含、

(2) 動作

要旨 雙手橫分、右膝展開、左膝曲住、同時左右手均拉至左右膝外、左手往後、右手來前、

註解 『雙手橫分、左手往左去、右手往右去』『右膝展開、左膝曲住』是與手同時舉到左方、『左右手均拉至左右膝外』左手隨左走、右手隨右走、『左手往後、右手來前』左手順膝摟至背後、右手順膝上起、轉到面前、

變化

面向正東方向

姿勢

一手 右手在前、還與鼻準相照、左手伏後近給脊骨相對、 二肘 右肘前曲、左肘後曲

三膀 右膀勿往前貪、左膀勿向後摩、

四頭 直立、不俯不仰、 五眼 神注右手梢

六身 身樁、站正勿扭、

七脚 左脚向左斜、右脚隨之、

八膝 左膝攻足、右膝崩展、 九胯 兩胯下坐

(3)

動作

要旨　右手右脚往後卸半步、左手左脚向回提半步、脚掌點地、

註解「右手右脚往後卸半步」、右手右脚往外向下朝襠中卸回、往後踏半步「左手左脚向回提半步」、左手左脚朝裡向上照左方往回提半步、「脚掌點地、虛中含實」

變化

方向

面向東南

姿勢

一手　右手卸至右肋間、左手提到左膝上、

二肘　兩肘皆曲、左手離膝高、右手離肋近

三膀　左膀平鬆、右膀下鬆、

四頭　微向左側、　五眼　神注左手梢、

六身　身稍上下斜照　七脚　虛與實順

八膝　右膝實曲、左膝虛曲、

九胯　右胯坐實、左胯虛提、

（十）　動作　變化

要旨　偏左上左手左脚、跟右手右脚、右脚少後、左脚少前、

註解　偏左上左手左脚、左手左脚向左斜上、跟右手右脚、右手右脚隨左邊亦向左斜上、左手下落左腿外、右手上至右眼齊、右脚少後左脚少前、兩脚前後併立、

方向　面向東南

姿勢

一手　左手貼左腿外、右手置右眼前、

二肘　右肘曲、左肘微曲、

三膀　右膀前鬆、左膀下鬆、

四頭　微向左側、　五眼　神注右手梢、

六身　身椿斜直、上下相照、

七脚　左脚在前、右脚跟至左脚一半中、

八膝　兩膝微曲、　九胯　兩胯略往下蹲

動作

斜行拗步(1)

要旨　雙手分開、交义按下、左脚斜蹬橫分、左蹬右曲、左曲右展、同時兩手均斜拉至兩膝外、左手斜向後、右手斜向前、

註解　「雙手分開、交义按下、」雙手從上分開、左手在上、右手在下、交义合住、按于右膝上、「左脚斜蹬橫分、左蹬右曲、左曲右展、」先左脚蹬開、右膝曲住、右膝展開、左膝曲住、「同時兩手均斜拉至兩膝外、」左手隨左斜去、右手隨右斜去、「左手斜向後、右手斜向前、」左手順膝斜摟至背後、右手領膝斜上至面前、

變化

方向　面向東南

姿勢

一手　右手在前斜與鼻準照、左手在後斜與脊骨照、二肘　右肘在前斜曲、左手在後斜應、三膀　左右膀前後鬆開、

四頭　斜直勿扭、五眼　神斜注右手梢、六身　身橋斜直、上下斜照、七脚　左脚斜、右脚隨之、八膝　左膝斜攻、右膝斜展、九胯　兩胯斜坐定

(乙) 動作

要旨 右手右脚往右卸、卸至左脚根之側、左手左脚向前提、提至右脚前左側、左脚掌點地、

註解『右手右脚往右卸、卸至左脚根之側』、卸時往外向下、變為照左脚根卸、卸至左脚之側稍後、『左手左脚向前提、提至右脚前左側、提時向裡往前、變為照右脚前提、提至右脚前左側、『脚掌點地』、虛左以待、

變化

方向

面微向西南

姿勢

一手 右手斜卸右肋間、左手斜提左膝外、

二肘 右肘曲、左肘微曲、

三膀 左膀前點、右膀下鬆、

四頭 微向右側、 五眼 神注左手稍、

六身 身橋彎正、微向左斜、

七脚 右脚順正、左脚掌虛點、 八膝 雙膝皆曲、微向左側、 九胯 兩胯下蹲、

(3) 動作

要旨 左手左脚偏左往前上、右手右脚連往隨之亦偏左往前上、

註解 「左手左脚偏左往前上」左手臂朝上偏左前上、左脚亦隨之偏左前上、「右手右脚連往隨之亦偏左往前上」、右手掌朝上指朝前、偏左前戳、右脚亦隨之偏左往前上、

變化

方向

面向東南

姿勢

一手 左手臂朝上外下、右手掌朝上平戳、

二肘 左肘曲、右肘微曲、

三膀 左膀下鬆右膀前鬆、 四頭 微向左側、

五眼 神注右手指頭 六身 向左側斜直、

七脚 先上左脚、後上右脚均偏左上、

八膝 左膝展、右膝微曲、

九胯 兩胯左外鬆前上、右裡鬆前上、

建前堂　動作

要旨　先左手向裡往前合、左脚隨之、次右手向裡往前合、右脚隨之、

註解　先左手向裡往前合、左手由左往下往撥往上、朝前合、左脚隨之、左脚從左由外往上、朝前踏、次右手向裡往前合、右手由右往下往撥往上、朝前合、右脚隨之、右脚從右往外往上、朝前踏、至左脚齊、右手撻拳、左手環抱、

變化

方向　面向正南

姿勢

一手　先左手、次右手、合于胸前、左掌右拳、

二肘　左右肘皆平曲、

三膀　兩膀向前平鬆、　四頭　直立勿俯、

五眼　神注兩手、向前平視、

六身　身橋端正不俯不仰、

七脚　先上左脚立定不動、次上右脚比齊、

八膝　雙膝微曲、　九胯　兩胯微往下蹲、

披身捶

動作

要旨 雙手向外下至膝、復順膝握拳轉上、復下至膝、雙膝皆曲、順膝披開、左膝展、右膝曲、左捶置腰間、右捶置耳門關中、

註解 「雙手向外下至膝」變掌轉下、「復順膝握拳轉上」、變掌為拳、上至心口、「復下至膝」、雙捶皆手臂朝前、「雙膝皆曲」、成騎馬勢、「順膝披開」、雙拳向左右分、左膝展、右膝曲、身隨斜向右方、「左捶置腰間」、左捶由前向下往回捲、「右捶置耳門關中」右捶由後向上往前捲、眼顧左腳尖

變化

方向

面向正南

姿勢

一手 雙手變掌下去復變捶上來復下披開、左捶置腰間、右捶置耳門關中、

二肘 兩肘皆曲俱手臂朝前

三膀 兩膀左亢右卑、 四頭 一直斜順、

五眼 神注左腳尖、 六身 身橋斜直勿彎、

七腳 兩腳俱朝右斜、 八膝 右膝曲、左膝崩展、

九胯 右胯下坐、左胯斜展、

合手　動作　變化

要旨　上身設正、兩捶分開往前合于胸前、脚亦裡合、

註解　上身設正、兩捶分開「上身從右設起設到正中同時兩捶往上向下、至兩膀齊、往前合于胸前」兩捶從膀往前去、右仍拳、左變成掌、合于胸前、脚「亦裡合」脚隨手移正、亦合于前、

方向　面向正南

姿勢

一手　兩手合與心齊、右手仍拳、左拳變掌、如鞠躬致敬、　二肘　左右肘平曲、

三膀　兩膀前縣、　四頭　頭豎端正、

五眼　向前平視、神注兩手、

六身　身椅扶正、　七脚　兩脚移正朝前、俱向裡合、　八膝　左右膝皆曲、向裡合、

九膀　兩膀坐定、亦向裡合、

出手 動作

要旨 分開往右上右捶右腳、左手亦變成捶、與左腳緊跟、腳右寔左虛、

註解 「分開往右上右捶右腳」、右捶微向下向左上起、同腳一齊右上「左手變成捶、與左腳緊跟」、左手變成捶、與左腳隨右捶右腳、一气往右上「腳右寔左虛」、以助之、

變化

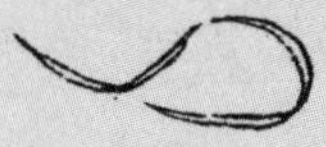

方向 面向南方

姿勢

一手 兩手握拳、俱虎口朝上往右上遥與心對、

二肘 左右肘皆曲、皆偏向右、

三膀 兩膀平鬆下沉、

四頭 略向右側、 五眼 神注右拳頭、

六身 身橋直立、沉于右邊、

七腳 右腳踏寔、左腳虛懸、腳掌下吃、以助之、

八膝 兩膝俱曲、 九胯 左胯跟右胯、一是坐下、

肘底看拳　動作　變化

要旨　變拳變腳轉往左去、右拳置于左肘之下、左腳掌點地、

註解　『變拳變腳轉往左去』、去時左拳向上往左轉、轉至左方、左拳豎起、右拳置于左肘之『下、右拳平旋至左方、收到肘底、以備下壓前上』、左腳掌點地』、左腳從右抬起轉向左方、同時右腳就本地亦轉朝左方、左腳方落地、

面向正東方向

姿勢

一手　左豎之拳、與鼻准照、右平之拳、與肘底照、

二肘　左肘曲豎、右肘曲平、

三膀　左膀平鬆、右膀下鬆、

四頭　直豎、　五眼　神注左拳頭、

六身　身向左側直立、

七腳　右腳平蹾、左腳掌着地、以虛待實、

八膝　變膝俱曲、　九胯　右胯坐實、左胯虛含

(2)

動作

要旨　即偏左上左拳左腳、再偏右上右拳右腳、右拳上時、變成掌、

註解　『即偏左上左拳左腳、用左拳偏左上去、下壓、右拳朝右後拉、再偏右上右拳右腳、右拳上時變成掌、』用右掌偏右上、右腳跟上去、使手臂按．下、左手回摟、

變化

方向

面向東北

姿勢

一手　左拳用臂下壓、右拳變掌下按、

二肘　左肘向前下壓、右肘朝後抽回、

三膀　左膀下鬆、右膀前鬆、

四頭　微下俯、

五眼　左上神注左拳、右上神注右拳、

六身　身稍豎直勿向前彎、

七腳　左右腳皆五指先着地、

八膝　左上左曲、右上右曲、

九胯　兩胯互相坐、

倒捲肱(1)動作

要旨　即右手、右手倒往回捲、即右脚右脚倒往回蹬、

註解　『即右手、右手倒往回捲、右手掌向後朝上往前按、按至襠中、』即右脚、右脚倒往回蹬』、右脚朝裡過襠往後向右回蹬、脚尖先着地、規定其數四、左右各二、為正式、

變化

方向

面微向東南

姿勢

一手　右手、向右朝後倒捲往前按、掌心向下、

二肘　右肘曲下按到襠微伸、

三膀　右膀向外往後、朝裡來前、俱鬆、

四頭　向右微俯、　五眼　神注右手梢、

六身　身稍微向右俯、腰不宜彎、

七脚　左脚平蹬、右脚落時、五指抓地、

八膝　左曲右伸　九胯　左坐右鬆、

(乙) 動作

要旨　卸左手、倒往回捲、手按至襠中、卸左脚、由襠過後、仍倒往前踏、其數為四、却不必拘、變着時、必從左手做了、

註解　「卸左手、倒往回捲、手按至襠中」左手掌向後、朝上往前按、「卸左脚、由襠過後、仍倒往前踏」左脚朝裡過襠、往後折上、倒回左前方踏下、脚五指先着地、「其數為四、却不必拘」若下工夫不拘其數、「變着時、必從左手做了」同右手齊往右上方提起

變化

方向

面微向東北

姿勢

一手　左手朝後抬起、倒往前按、掌心向下、

二肘　左肘曲下按、微伸、

三膀　左膀後折回按、往來要鬆

四頭　向左微俯、　五眼　神注左手梢、

六身　身橋腰不須彎、略向左斜、微俯、

七脚　右脚平踏、左脚倒落時、五指先抓地、

八膝　右曲左伸、　九胯　左胯坐實、右胯虛鬆、

白鶴亮翅　　動作　　變化

要旨　由右提至左手高右手低、一齊下至左方、雙腳隨之、右腳虛點、即從左下方雙手上至右上方合住、右高左微低、雙腳跟去、左腳虛點、

註解　由右提至右手高左手低、一齊下至左方、兩手左下右手在襠中、左手在膝外、雙腳隨之、右腳虛點、以腳掌着地助之、即從左下方、雙手上至右上方合住、右高左微低、從左上至右上方時、右手在前斜高與眼齊、左手在後斜、低與心齊、雙腳跟去、左腳虛點以助之、

方向

面向正東

姿勢

一手　兩手左下、右手與襠齊、左手與膝齊、右上、右手與眼齊、左手與心齊

二肘　左右肘交互相曲、　三膀　兩膀輪流相鬆、

四頭　左下左直、右上右直、　五眼・神注兩手稍、

六身　左下、身樁自左扶直、右上、身樁自右扶直、

七腳　兩腳互為虛實相助、　八膝　左下、雙膝俱曲、右上雙膝微曲、　九胯　左下、坐、右微伸・

摟膝拗步(1)動作　變化

要旨　兩手由上分開交义摟于右膝上左足橫蹬至左方、

註解　兩手由上分開交义摟于右膝上、兩手起時向上分、摟時、至下合、皆順右膝、掌心向下摟去、左脚橫蹬至左方、用脚根朝地擦去、脚指微向前斜

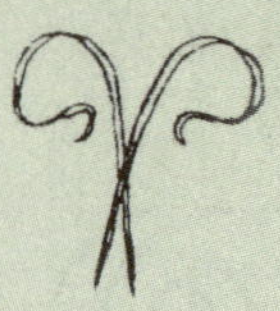

方向　面向正東

姿勢

一手　兩手分開交义摟下合于膝上、

二肘　左右下曲、　三膀　兩膀向右前上鬆、

四頭　向右側直豎微俯、

五眼　神注交义兩手梢、　六身　身橋直立勿歪、

七脚　左脚橫蹬虛擦右脚踏蹇支撑

八膝　右膝平曲左膝伸直、

九胯　右胯坐足左胯虛承、

(2) 動作

要旨　雙手橫分至左右膝外、左膝曲右膝伸、左手向後去右手朝前來、

註解　「雙手橫分至左右膝外」、右手拉短、左手拉長、兩手短長相等、同時俱到、「左膝曲右膝伸」、曲伸與手同動、「左手向後去右手朝前來」、左手順膝後摟至脊中、右手順膝上轉回鼻前、

變化

方向　面向正東

姿勢

一手　右手與鼻准照、左手與脊骨照、

二肘　左肘後曲右肘前曲、

三膀　兩膀端正勿扭、

四頭　直立豎正

五眼　神與右手指相應、

六身　身搿扶正、

七脚　左脚移向前斜蹬、右脚隨之、

八膝　左膝曲平、右膝伸直、

九胯　左胯下坐右胯下壓、

閃通背(1) 動作

要言 由摟膝往前進、上右手右脚、跟左手左脚、左脚根提起、

註解 「由摟膝往前進、上右手右脚」、右手右脚從外向上往前進、上至膀平、「跟左手左脚」、左手左脚、從下向裡朝右跟上、亦至膀平、「左脚根提起」、左脚向右跟去、提至與右脚相近、脚指與掌點地助之、

變化

方向 面向正北

姿勢

一手 右手掌向前側、左手指向下捏撑、

二肘 右肘微曲、左肘曲平

三膀 左右膀平鬆 四頭 微向右側、竪直

五眼 神注右手梢、 六身 身橋竪直

七脚 右脚朝前踏寔、左脚根虛提、

八膝 右膝曲、左膝亦曲、

九胯 右胯坐寔、左胯虛提、

(2) 動作變化

要旨　卸左手左腳、撤右手右腳、

註解　「卸左手左腳」、左手左腳向上起、往後向下落至大腿平、左手與膝齊、「撤右手右腳」、撤至右膝展直、至與地相近、右手在膝裡、

方向　面向正北

姿勢

一手　左手落至左膝外、右手下至右膝裡、左手臂朝前、右手掌朝前、

二肘　左肘曲右肘微曲、　三膀　兩膀下鬆、

四頭　向右微側、　五眼　神注右手梢

六身　身橋皆直、　七腳　右腳蹺起左腳抓地、

八膝　左膝攻至大腿平、右膝展直、

九胯　左胯坐實、右胯虛壓、

(3)

動作

要旨　上左手左脚、右手右脚隨之、

註解　「上左手左脚、」左手上左脚跟去、左手自下前進上托、左脚自左由下前進踏地、「右手右脚隨之、」右手右脚、隨左手左脚亦從下由本地移轉上托、轉至面向前、脚由本地踏寔、雙膝左攻右微攻、成四六騎馬襠、

變化

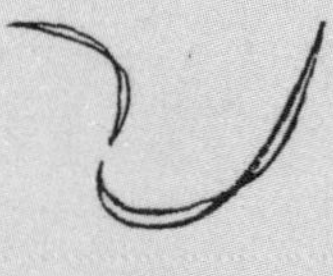

面向正南方向，

姿勢

一手　兩手由下往前上托、兩掌朝裡相合、

二肘　左肘曲、右肘微曲、

三膀　兩膀上鬆、

四頭　頭直、微向上仰、

五眼　神注上方、兩手稍、

六身　身橋直豎

七脚　左脚微向外側、右脚仍順、

八膝　右膝曲、左膝略伸、

九胯　左右胯俱向下蹲、偏重右邊、

（十） 動作

要旨 朝後卸右手右腳、左手左腳隨右邊身往後下、鋪下、

註解 朝後卸右手右腳、右手與右腳由前向右往下、朝後轉至右腳蹺後、左手左腳、隨右邊身往後下、鋪下、左腳不動、隨右腳後卸時、就勢一摔鋪下、左手隨右手下至右手在右膝外、左手在左膝裡、

變化

方向

面向正北

姿勢

一手 左右手背俱朝前向左斜、

二肘 右肘曲左肘微曲、

三膀 左右膀尖向下鬆、 四頭 略向左側、

五眼 神注左手梢、 六身 身樁直立勿倒、

七腳 雙腳向裡側、左腳尖蹺起、

八膝 右膝曲尺、左膝展直、

九胯 左胯坐下、右胯虛提、

(5)

動作

要旨　右手右脚向上往前推、合于右方、左手左脚隨之、成右攻勢、

注解　「右手右脚、向上往前推、合于右」方、右手右脚、由下往上前進、朝右前推、同左手略向下合于右方、「左手左脚隨」之、左手左脚、由下往上朝右去、左手隨右手略向下推合于右方、左脚隨右脚成「右攻勢、右膝曲往、左膝展開」

變化

方向

面向正南

姿勢

一手　兩手合前右方、右手略向下左手遥與心應、

二肘　左肘曲右肘微曲

三膀　兩膀略向下鬆

四頭　頭直、微向右側、

五眼　神注右手稍、

六身　身椿竪直右沉、

七脚　兩脚俱朝右側、

八膝　右膝曲往、左膝展開、右攻左蹬、

九胯　右胯坐下、左胯壓下

單鞭(1) 動作

要旨 雙手從右上開下合、身往下蹲下至大腿與膝平、兩手置于右膝之裡外、

註解 「雙手從右上開下合」雙手就上分開、下至膝合住、「身往下蹲下至大腿與膝」平、兩膝下曲、身不須俯、「兩手置于右膝裡外、」左在裡、右在外、

變化

方向

面微向西南

姿勢

一手 雙手下至膝之左右、手臂朝外、

二肘 兩肘皆曲、俱向裡彎、

三膀 兩膀俱往下鬆、均向裡合、

四頭 豎直微向右側、

五眼 神注右手梢、

六身 向右朝前豎直、

七脚 左虛脚蹈實、

八膝 左右膝曲、至大腿平、

九胯 兩胯下蹲、蹲至大腿平、

（乙）

動作

要旨　雙手上至膀齊、左右分開、右膝展、左膝曲

註解　雙手上至膀齊、身往下就手往上起、與兩膀平、左右分開、左手往左去、成側掌、掌緣向前、右手往下、向右去、朝下捏成撐、手心向下、右膝展、左膝曲、右膝由本地左伸左膝彎曲、

變化

姿勢

一手　左手側掌、掌心向裡右手捏撐、掌心向下、

二肘　兩肘微曲、　三膀　兩膀左右鬆、

四頭　豎直微向左側、

面向正南

五眼　神注左手精、　六身　身樁扶正、

七脚　左脚邁至左方、與右脚背順往左斜

八膝　左膝曲、右膝伸、

九胯　左胯坐定、右胯壓住、

雲手(1) 動作

要旨 左脚跟左手往左去、左脚邁寬、左手低、右手收回丹田、

註解 「左脚跟左手往左去」從单鞭收回丹田、由丹田向上往左去、「左脚邁寬」左脚邁一寬步向左去、步寬身低、手自然低、左手因步邁寬微成低身、「右手收回丹田」左手向左出去、左手收回、右手必然出去、是左右互行法、

變化

方向

面向正南

姿勢

一手 左手由左肋回至丹田、往左去、成時指與眉齊、右手收回、與丹田相點、

二肘 右肘曲、左肘微曲 三膀 兩膀平鬆、

四頭 微向左側、 五眼 神注左手梢、

六身 偏左豎直、 七脚 左脚後根虛、右脚踏實

八膝 左膝攻起、右膝崩展

九胯 左胯坐下、右胯壓下、

(2) 動作

要旨 右脚跟右手往右去、收寬邁窄、右手高、左手收回丹田、

註解 「右脚跟右手往右去」、由放撑收回丹田、由丹田向上往右去、「收寬邁窄」、右脚開窄步向右邁、步窄身高、手自然高、「右手高」、因步邁窄、微成高身、「左手收回丹田」、右手出去、左往右來、右往左來、亦是互行法、

變化

方向 面向正南

姿勢

一手 右手由右肋往右去、指仍與眉齊、左手亦收與丹田相照、

二肘 左肘曲、右肘微曲、 三膀 兩膀平鬆、

四頭 微向右側、 五眼 神注右手梢、

六身 偏右豎直、 七脚 右脚後跟虛、左脚踏實、

八膝 右膝微攻、左膝仍崩展、

九胯 右胯略下坐、左胯微壓、

高探馬　動作

要旨　右手右脚前上後卸、左手隨之後左手左脚回提前下、右手隨之左脚根虛提、

註解　右手右脚前上後卸、左手隨之、右手右脚同向前去、朝右卸回、左手與之偕往、後左手左脚前下回提、右手隨之左手左脚朝右向下往上朝左提回、右手隨之不離左脚根虛提、脚掌點地、以虛待實、

變化

方向　面向東方

姿勢

一手　右手偏右與鼻准照、左手偏左與左膝照、

二肘　左右肘背曲、三膀　兩膀下鬆、

四頭　頭豎直略向左俯、

五眼　神注兩手梢、六身　身橋直立、

七脚　右脚朝前踏實、左脚掌點地、

八膝　左膝虛提、右膝實立、

九胯　右胯坐實、左胯虛提、

右側脚　動作

要旨　上左手左脚再上右手右脚、左手左脚回卸、右手右脚回提、右脚掌點地、

註解　上左手左脚、左手左脚、從下向上往前上、再上右手右脚、右手右脚從右向上往前上、上至左脚前、左脚左手回卸、左脚往後卸半步、右手卸至左肋、右脚右手回提、右脚往回提半步、右手提至心口、右脚掌點地、以虛待實、

變化

方向

面微向東北

姿勢

一手　右手提回心口、左手卸回肋際

二肘　兩肘皆曲、

三膀　左右膀下鬆、

四頭　略向右側、

五眼　神注右手梢、

六身　身橋豎直偏左、

七脚　左脚踏實、右脚虛提、

八膝　左膝平曲、右膝虛曲、

九胯　左胯坐實、右胯虛提、

(2) 動作

要旨 右側脚

用雙手齊去打

右脚、只用右手

打住、

註解 「右側脚」

用雙手齊去打

右脚、從右下左

往上往前去打、

只用右手打住」

右手從上向前

展出打住、左手

至上、下落、止于

胸前、

變化

方向

面向東方

姿勢

一手 右手打脚面左手留于心口、

二肘 左肘曲、右肘略曲、 三膀 兩膀平鬆、

四頭 頭向右側、 五眼 神注右脚尖、

六身 直立忌前俯、

七脚 左脚踏實、右脚踢起、

八膝 右膝展直、左膝微曲、

九胯 左胯略往下蹲、右胯鬆和上起、

左側脚　動作

要旨　上右手跟右脚、再上左手跟左脚、卸回右手右脚、即提左手左脚、左脚掌虛點、

註解　「上右手跟右脚」、從右側脚落地、右手從右往上前去、右脚亦隨右手往前去、「上左手跟左脚」、左手從左往上往前去、左脚亦隨左手往前去、「左脚掌虛點」、以備踢、

變化

姿勢

一手　右手卸至右肋、左手提回心口、

二肘　兩肘俱曲、　三膀　兩膀平鬆、

四頭　略向左側、

方向

面微向東南

五眼　神注左手梢　六身　偏右豎直、

七脚　右脚掌踏實、左脚掌虛提、

八膝　右膝平曲、左膝虛提、

九胯　右胯實、左胯虛、

(2) 動作

要旨　左側脚用变、手打左脚、左手打住、打畢落于右脚之後、左手隨之、

註解　左側脚用变、手打左脚、兩手從右向左去、左手打住、左手從上向前展出打之、右手蓄于胸前、打畢、落于右脚之後、左手隨之、打畢同時手與脚均就勢向下往左去、隨勢落右脚後、

變化

姿勢

一手　兩手打左脚、左手打住、右手落于胸前茨下卸回、
二肘　右肘曲、左肘微曲、
三膀　兩膀向前平鬆、
四頭　直立向左側、
五眼　神注左脚尖、
六身　豎直忌左歪、
七脚　左脚踢起右脚踏緊地、
八膝　左膝展直、右膝微曲、
九胯　右胯略下蹲、左胯鬆活上起、

面向方向　東方

抱月蹬根(1) 動作

要旨　双手回收合于心口、左脚就勢提回左方、抬而不落、

註解　〔双手回收合于心〕〔口、双手從打罷左側脚往下往左、两邊分開、復由左向上收到心口、左脚抬而不落〕由左側脚向下往左收回、就勢提起、虛懸蓄勢

變化

方向

面向正北

姿勢

一手　双手左右收回、沿路握拳、至心口双手握成、

二肘　两肘俱曲、

三膀　左右膀平鬆、

四頭　略向左側、

五眼　神注双拳、

六身　身樁豎直、一脚獨立、支住全身、

七脚　右脚踏實、脚尖朝前、左脚虛懸、脚掌着地、

八膝　右膝直豎、左膝上曲、

九胯　右胯微蹲、左胯虛提、

（乙）動作變化

要旨 趁上勢左脚提起、朝左一蹬、全身外撕、叉拳外展、

註解 趁上勢左脚提起、朝左一「蹬」、用左脚後根朝裡蹬出、全身外撕、叉拳外「展」、身拳都向左去、右邊右拳右脚墜住、右沉以助之、不使牽動、

方向

面微向西北

姿勢

一手 叉手握拳、外撑、臂俱朝前、

二肘 叉肘俱展、右肘曲、左肘微曲、

三膀 两膀左右鬆、

四頭 微向左側、

五眼 神注左拳尖、

六身 身椿直豎、

七脚 左脚用脚根平蹬、右脚踏緊、

八膝 左膝平展、右膝豎直微曲、

九胯 右胯略蹲、左胯平鬆、

青龍繫水(1)　動作

要青　急步上右捶、右脚、跟齊、即上左捶、左脚、邁一大步、

註解　『急步、左脚由左蹬根落地、上右捶右脚』、右捶由急步向前朝裡轉圈上、『跟齊、右脚隨右捶前去、跟至左脚齊、即』上左捶左脚』、左捶由左向裡前上、亦朝裡轉圈、『邁一大步、』左脚隨上勢、向左儘力開一大步前蹬、以助左捶、

變化

方向　面向西北

姿勢

一手　雙手擫捶、輪流向左前上、

二肘　右肘曲、左肘微曲、

三膀　右膀向前下鬆、左膀向前平鬆、

四頭　略向左側、　五眼　神注左捶頭、

六身　身椅直豎、　七脚　左脚邁大步、右脚不動、

八膝　左膝攻起、右膝崩展、

九胯　左胯坐實、右胯墜住、

（乙）動作

要旨　左捶上接、右捶下打、左捶同時置于左方、

註解　「左捶上接」左捶從左上方接住、「右捶下打」右捶朝右上舉、順左捶接住下打、落于左脚尖前、「左捶同時置于左方」左捶接住回往裡捲、同時置于左胯彎之外、脚俱暗動、移向前、

變化

方向

面向西方

姿勢

一手　右捶打左脚前、左捶置左胯外、兩捶遥合、

二肘　兩肘皆曲、

三膀　兩膀下垂、

四頭　平直勿俯、

五眼　神注右捶、

六身　腰展平直

七脚　兩脚向前、脚後根勿抬、

八膝　左膝平曲、右膝伸直

九胯　左胯坐實、右胯隨之順直、

二起(1) 動作 變化

要旨 變摟設起向右去、身往上起、右腳不動、左腳掌虛點、身往下蹲、

註解 『變摟設起向右去、』『變摟由左設起、向上往右去、身』往上『起、身隨摟設起、』『右腳不動、只移腳尖、』『左腳掌虛點、』『左腳跟去、腳掌點地、身』往下『蹲、欲伸先曲、用摟變掌、

方向 面微向東北

姿勢

一手 摟變成掌、右手偏右前伸、與眼角齊、左手亦偏右前、跟與心口齊、兩手掌合、

二肘 左右皆曲、 三膀 兩膀前鬆、

四頭 頭直微向右側、 五眼 神注右手梢、

六身 身樁豎直、勿向前俯、

七腳 右腳實踏、左腳虛點、 八膝 左右膝皆曲、

九胯 右胯坐實、左胯虛含、

(乙) 動作

要旨 先抬左脚、再抬右脚、兩手並起打去、右手打住、

註解 『先抬左脚、變手向下向左一回、左脚不落、再』抬右脚』兩手自左向上向右往前去、右手打住右脚

變化

方向

面向東方

姿勢

一手 右手前伸打住左手同去、沉于心口、

二肘 左肘曲、右肘微曲、

三膀 左膀下鬆右膀向前平鬆、

四頭 直立微向右側、 五眼 神注右脚尖、

六身 身橋扶直、 七脚 右脚踢起左脚落下、

八膝 左膝曲起、右膝展走、

九胯 左胯抬起、左胯隨之不停、一是上抬、

怀中抱膝 動作

要旨 雙手上舉、將左膝環抱、抱往上起、抱至胸齊、

註解 「雙手上舉將左膝環抱」、雙手就左膝兩旁往前去、向左右分開、回合抱住左膝、「抱往上起抱至胸前、」雙手抱膝向裡上起、起至胸前、

變化

方向 面向東方

姿勢

一手 兩手合掌、自膝外將膝抱至胸中、手指向前

二肘 兩肘當曲、 三膀 兩膀下鬆、

四頭 豎直勿俯、 五眼 神注兩手指頭、

六身 身椿直立、切忌前俯後仰、

七腳 左腳指起提成虛懸、右腳踏寔支住全身、

八膝 左膝曲、右膝微曲、

九胯 左胯虛提、右胯墜住、

踢一腳　動作　變化

要旨　腳往上一撩、朝上踢起、雙手同時推出、手腳一齊向上去、

註解　「腳往上一撩、朝上踢起、」雙手抱膝上起、腳尖撩時、膝往上抬、腳就勢向上踢去、雙手同時推出「雙手用掌向前推、指頭朝上、」手腳一齊向上「去推、畢衆勢一齊往上舉起、

方向　面向東方

姿勢

一手　雙手前伸上起、手掌朝前指向上、

二肘　兩肘微曲、　三膀　兩膀向前平鬆、

四頭　頭宜豎直、　五眼　神注中指指頭

六身　身樁扶正、切忌前俯、

七腳　左腳踢、右腳支住全身、五指抓地、

八膝　左膝向上踢展平、右膝微曲、

九胯　左胯上抬、右胯下墜、

蹬一根　動作　變化

要旨　由上勢兩手與左脚、一齊往後轉、轉過左脚落地、趁勢右脚後根、即朝右蹬出不落、

註解『由上勢兩手與左脚、一齊往後轉、轉過左脚落地』、兩手與左脚一統朝上往後轉、轉過左脚落于右脚之後、『趁勢右脚後根、即朝右蹬出』、左脚落時右脚就勢向上往右朝下向裡蹬出、『不落』、右脚不落連住變下着、

方向　面向北方

姿勢

一手　兩手往裡下、左手按地、右手前伸、手臂朝前、

二肘　左肘曲、右肘微曲、　三膀　兩膀上下斜鬆、

四頭　橫直、

五眼　後視、

六身　身蹲伏地橫直、　七脚　右脚後根蹬出左脚五指抓地、　八膝　右膝展直左膝曲住、

九胯　左胯坐寔右胯虛懸、

掩手肱捶　動作　變化

要旨　右脚由不落轉過、左手左脚同時向右上、右手握捶、打于左手心內、

註解　右脚由不落轉過、左手左脚同時向右上、就右脚向上往外落時、左手左脚即隨往往右上、上到右脚前、右手握捶打于左手心內、右手從右方握捶上起下到左方轉向左去、打于左手心內、與脚尖齊、由右往外轉時、變手從兩膝分過、為攔馬掌、

方向　面向南方

姿勢

一手　左手掌心朝上、右手捶、手臂朝上、

二肘　兩肘皆曲、三膀　兩膀往左下鬆、

四頭　頭直微向左側、

五眼　神注右捶尖、六身　身橋豎直、左沉、

七脚　左右脚俱五指抓地、拔根踏緊、

八膝　左膝攻起、右膝崩展、

九胯　左右胯俱向下坐、

抱頭推山　動作

要旨　雙手順膝分開往右去、右脚不動、

註解　雙手順膝分開、雙手順左膝往外分開左手往左拉、右手往右拉、均拉至膝外、朝上往右推、右脚不動、左手由左膝向上從腦後過前右手由右膝向上、至眼角齊、雙手合往一齊向右推去、右脚乘手推時、只移脚尖、

變化

方向　面向南方

姿勢

一手　左右手側掌、向右前推、右手遥與眼應、左手遥與心應　二肘　兩肘平曲、

三膀　兩膀平鬆、　四頭　豎直微向右側

五眼　神注右手指頭、　六身　身橋豎直、右沉、

七脚　左右脚俱蹬實、

八膝　右膝平曲、左膝展直、

九胯　左右胯俱坐實、

單鞭 動作 變化

要旨 由推山勢兩手下按、至右膝左右、隨從右膝左右上起、至眼角齊、左右展開、

註解 「由推山勢、兩手下按至右膝」左右兩手從右方手指朝下按至右膝左右「隨從右膝左右上起至眼角齊」即從右膝側掌、上到眼角齊、「左右展開同時左手從眼」齊上去左方、右手從膝外下至右方

方向 面向南方

姿勢

一手 兩手至右眼角分開、左手側掌去左上踊、右手捏撑去右下按、 二肘 左右肘微曲、

三膀 左膀前翫左膀後鬆、 四頭 微向左側、

五眼 神注左手指頭、 六身 身樁豎直、

七脚 兩脚踏定俱向左側、

八膝 左膝曲平、右膝展直、

九胯 左右胯俱往下坐、

前照 動作

要旨 由單鞭右手上起外去、左手裡回下去、腳不動、

註解 「由單鞭右手上起外去」、右手放撐往右向上往外去、上至與眼角齊。「左手裡回下去」、左手由上朝下裡回回至胸前、指向下往裡斜。「腳不動」、腳根不動、腳尖隨手轉移、

方向 微向西南

姿勢

一手 右手指上起、左手指下回至胸、

二肘 右肘朝上曲、左肘向下曲、

三膀 兩膀左右互鬆、 四頭 頭直微向左側、

五眼 神注左手梢 六身 直豎勿歪、

七腳 兩腳俱不明動、惟隨意暗動、

八膝 右膝曲住、左膝微伸、

九胯 左胯下蹲、左胯虛承、

後照　動作

要旨　左手向後上起外去、脚亦隨之外去、右手往裡回、脚亦隨之往裡回、

註解　「左手向後上起往外去」、左手由胸前向後轉上往外去、「脚亦隨之外去」左脚隨着左手、「右手往裡回、右脚亦隨之往裡回」、右手由右向下往裡轉、轉至右大腿外、右脚亦隨之往裡轉、脚根提起、

變化

方向

面向西南

姿勢

一手　左手由胸前上起、右手回至右腿外、

二肘　左肘曲、右肘微曲、　三膀　兩膀平鬆

四頭　頭直微向左側、　五眼　神注左手梢、

六身　身橋扶直勿歪、

七脚　左脚踏是、右脚虛提、

八膝　左膝微曲、右膝微伸、

九胯　左右胯俱向下微蹲

勒馬勢　動作

要旨　乘後照之收勢、右手右腳往外轉、腳根點地、左手向裡轉左腳不動、

註解　〖乘後照之收勢、右手右腳往外轉、腳根點地〗右手由下往裡往上往外轉右腳由裡往上往外往下落、腳根點地、〖左手向裡轉左腳不動〗左手往外往上往裡轉、左腳尖移向前平踏、

變化

方向　面向西南

姿勢

一手　右手掌朝上右側、左手臂朝上亦右側、

二肘　兩肘皆曲、　三膀　右膀下鬆、左膀略下鬆、

四頭　頭直豎右側、　五眼　神注兩手稍、

六身　直立挾照、勿向前俯、

七腳　右腳高起下落、左腳五指抓地平踏、

八膝　右膝虛曲、左膝實曲、

九胯　左胯向下坐實、右胯下落虛提、

野馬分鬃　動作　變化

要旨　右手右脚從下往上往外分上左手從上往下合于左胯之外、

註解　「右手右脚從下往上往外分」上右手向下順襠向前朝上往外分上、上至與頂齊、右脚隨之「左手從上往下合于左胯之」外、左手從上往外往後轉下收于左胯之外、左脚不動、

姿勢

一手　右手掌朝上、微側左手臂朝上、亦微側、

二肘　左右肘皆微曲、　三膀　兩膀上下互鬆、

四頭　頭斜直、略向右側、

方向　面向西南

五眼　神注右手梢、　六身　身橋斜直、

七脚　右脚向外上、右脚蹬緊、

八膝　右膝曲住、左膝展直、

九胯　右胯下坐、左胯後墜、

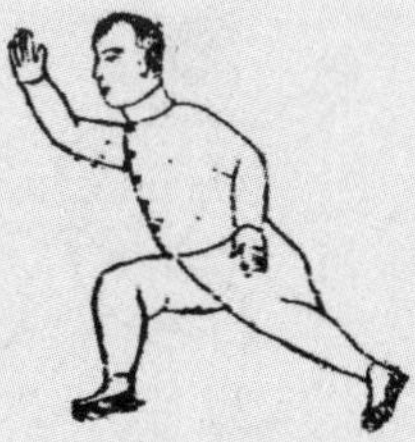

(2) 動作

要旨 左手左腳從下往上往外分上、右手從上往下合于右膀之外、

註解 「左手左腳從下往上往外分上」左手向下順襠向前朝上往外分上、上至與頂齊、左腳隨之「右手從上往下、合于左膀之外」右手從上往外往後轉下、合于右膀之外、右腳睛動、

變化

方向 面向西北

姿勢

一手 左手掌微向外側、右手臂亦微向外側、

二肘 兩肘俱微曲、

三膀 右膀下鬆、左膀上鬆、

四頸 頭與脊順斜立、微向左側、

五眼 神注左手梢、

六身 身樁向左側斜直、

七腳 左腳向左上踏定、右腳移動隨之、

八膝 左膝曲住、右膝展直、

九胯 左胯坐寔、右胯換墜、

探馬勢　動作

要旨　卸左腳提右腳、手隨腳動右腳根點地、往斜卸左腳左腳在前往回撤、將右腳撤于前方提右腳向左腳已撤回後面、右腳從速提回、即收至襠前、手隨腳動、腳回卸、手亦回卸、腳回提、手亦回提、右腳根點地、腳虛懸待機、

變化

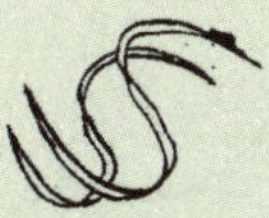

方向　面向西方

姿勢

一手　右手掌右側置膝上、左手臂右側、與鼻准對、

二肘　兩肘皆曲、　三膀　左膀上聳、右膀下鬆、

四頭　頭豎直微向右側、

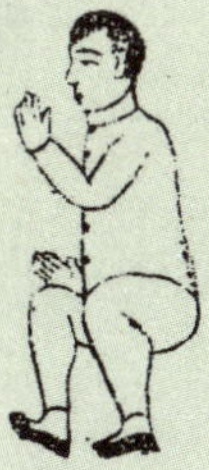

五眼　神注兩手梢、　六身　上下扶照、勿前俯、

七腳　右腳根點地宜虛、左腳踏地宜實、

八膝　右膝虛曲、左膝實曲、

九胯　左右胯俱下蹲、右胯虛承、

玉女躥梭　動作

要肯　上右手右脚、跟左手左脚、左脚落地右脚隨手懸起朝後前上、

註解　上右手右脚、右手一抬、右脚上提、跟左手左脚、右手右脚未落時、左手自右手虎口推出左脚向右前健一步、點地、左脚落地右脚隨手懸起朝後前上、左脚落地時右脚隨手懸起朝上往後轉轉過落到右前方、左脚不動但移脚尖轉去、

變化

方向

面向西北

姿勢

一手　右手上起左手順虎口前推右手置于心口、

二肘　右肘曲于右肋、左肘微曲、

三膀　右膀後鬆、左膀前鬆、　四頭　頭竪直、勿歪

五眼　神注左手梢、　六身　身椿扶直、

七脚　左脚踏實、右脚空懸、

八膝　左膝直立微曲、右膝抬起上曲、

九胯　左胯落實、右胯上提、

背折靠　動作

要言　由上勢、右手右腳朝後轉過、右手展開、左手靠于左肋、

註解　「由上勢、右手右腳朝後轉過」右手右腳懸起、朝後向上轉過落地、右膝攻起、「右手展開」右手由心口上起、沿路朝後轉時、就勢展開、向右上方去、「左手靠于左肋」左手由上勢、向下沿路朝後轉時、收回靠于左肋、

變化

方向

西微向西南

姿勢

一手　右手到右上方、掌心向內、左手到左肋、手臂向外、

二肘　左肘曲、右肘微曲、

三胯　左胯下鬆、右胯前鬆、

四頭　豎直略向右側　五眼　神注右手梢、

六身　身橋豎直、七腳　兩腳踏定向右側、

八膝　右膝攻起、左膝展直、

九胯　兩胯坐定、

單鞭

動作

要旨　兩手前合下按上起至膀齊、左上右下分開、左脚向左邁、右脚向左移、

註解　兩手」前「合」兩手同向左分、同向右合下」按上起」隨身下蹲、按至膝隨身上起」至膀齊、左上右下分開」、左手向上、往左右手向下、往右皆從膀齊分開」左脚向左邁」、左脚隨左手同向左邁去、」右脚向左移」、右脚同右手向右去、右脚尖蹺起、移向左去、

變化

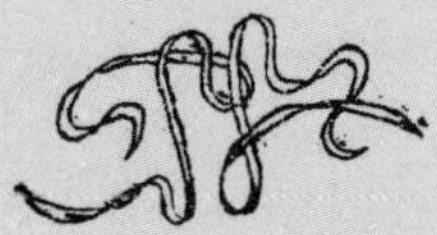

方向　面向南方

姿勢

一手　左手左去、掌向裡側右手右去、撐向下扎、
二肘　左右兩肘微曲、　三膀　兩膀前後分鬆
四頭　豎直微向右側、　五眼　神注左手梢、
六身　身樁直立、切忌左歪、
七脚　左脚去左左側、右脚亦移向左左側、
八膝　左膝曲住、右膝展直
九胯　左右兩胯、皆下坐、

雲手 動作

要旨 右手去右、右腳隨之、右腳步窄、右手手高、復左手收回丹田、

註解 「右手去右、右腳隨之」、右手從丹田向上往右雲去、右腳隨手跟去、「右腳步窄、右手手高」、右腳邁窄步向回收半步、步窄身高、手自然高起、「左手收回丹田」、因右手由丹田出去、左手當回、所以收回丹田、此是左雲右收、右雲左收、連貫不斷、名曰五行

變化

方向 面向南方

姿勢

一手 右手由丹田往右去、至眉齊、左手收回丹田、

二肘 左肘曲、右肘微曲、

三膀 左膀平鬆、左膀下鬆、 四頭 微向右側、

五眼 神注右手梢、 六身 身稍右沉扶直、

七腳 右腳後根提起、左腳踏實、

八膝 右膝攻起、左膝展開、

九胯 右胯坐實、左胯靈應、

訣义　動作　變化

要旨　斐手收回心口、提右脚、即蹬左脚、斐手朝上分開落下、斐往前合、右手右脚往前上、左手左脚向前冲

註解　斐手收回心口、提右脚、即蹬左脚、右脚抬起往下踩左脚抬起向左蹬鋪地下、斐手朝上分開落下斐手由心口同時上起分開落于兩旁掌心朝下、斐往前合合往右手向右畔、身向右回、左手隨之、右手右脚向前上左手左脚向前冲起势一跳上與左脚齊、左手竪起、右手在右跳平、

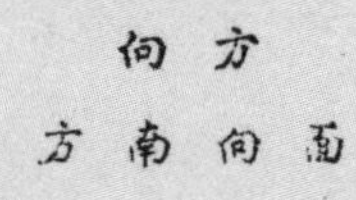

方向

面向南方

姿勢

一手　兩手往上分下掌朝上往前合臂朝上

二肘　兩肘微曲　三膀　兩膀平鬆

四頭　偏左直

五眼　偏左視

六身　直立勿前俯　七脚　右脚五指抓緊

左脚蹬展　八膝　右膝曲左膝展

九胯　兩胯俱往下蹲左寔右虛

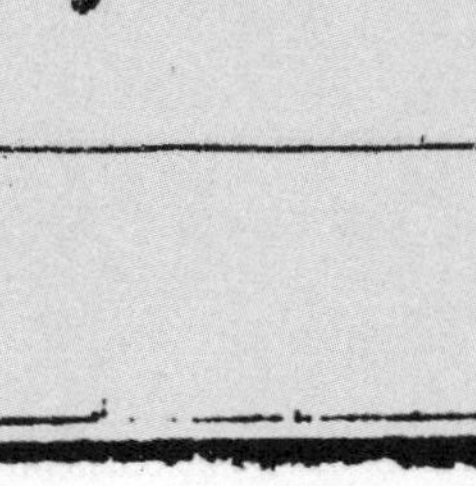

更鷄獨立 動作 變化

要旨 右手右脚朝前抬起、向後落下、左手隨之、

註解 「右手右脚朝前抬起」、右手向右前方上至右耳前、右脚朝前抬至大腿平、「向後落下」、右手右脚朝耳後落下、「左手隨之」、下至胯齊、

方向

面微向東北

姿勢

一手 右手由耳前上舉、耳後落下、左手下至胯齊、

二肘 左右肘俱微曲、

三膀 右膀上翹、左膀下鬆、 四頭 頭直、微上仰、

五眼 神注右手梢、 六身 上下直立、

七脚 右脚虛懸、左脚支撑、全身須五指將地抓緊、

八膝 右膝曲至大腿平、左膝直立、微曲、

九胯 左胯實承、右胯虛提、

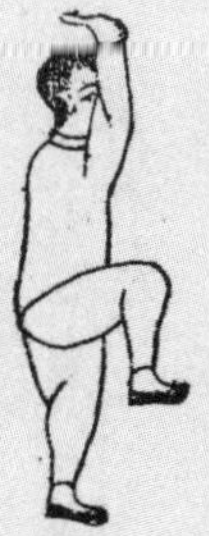

朝天鐙 動作 變化

要旨 左手左腳朝後抬起向前落下、右手隨之、

註解 左手左腳、朝後抬起左手從左後方上至左耳後、左腳朝後抬至大腿平、向前落下、左手左腳朝耳前落下、右手隨之、至胯齊、

姿勢

一手 左手由耳後上舉、耳前落下、右手下與胯齊、

二肘 兩肘微曲、 三膀 左膀上鬆、右膀下鬆、

四頭 直豎、微上仰、 五眼 神注左手梢、

方向 面微向東南

六身 上下扶正、切忌前俯後仰、

七腳 右腳前後踏緊、左腳提起、

八膝 右膝直立、微曲、左膝曲至大腿平、

九胯 右胯寔支、左胯虛提、

倒捲肱　動作

要旨　卸右手右腳、右手倒往回捲摟襠內、右腳由襠仍踏右後方、再卸左手左腳、左手亦倒往回捲摟襠內、左腳由襠仍踏左後方、變成雙手向右上提、

註解　「卸右手右腳、右手向後朝上、往前摟右腳朝裡過襠往後、向右前踏」卸左手左腳、左手向後朝上、往前摟、左腳朝裡過襠往後向左前踏」變成雙手向右上「提」提至右上方、

變化

方向　面微向東北

姿勢

一手　兩手俱朝後指往前摟、畢、變為俱向右上提、

二肘　兩肘俱由、變為俱向右上伸、

三膀　兩膀下鬆、　四頭　頭直、微向下俯、

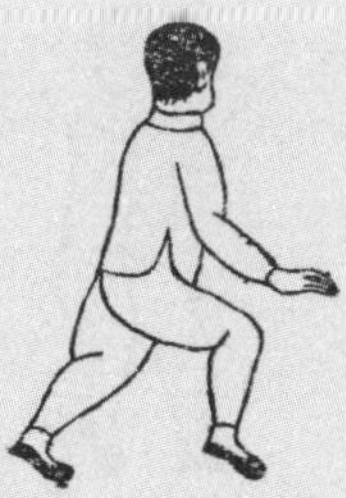

五眼　神注右手梢、　六身　稍向右側、腰不須彎

七腳　右腳落地、踏平、左腳落時、腳掌先着地、

八膝　右膝曲至大腿平、左膝微伸、

九胯　右胯坐實、左胯虛承、

白鵝亮翅

動作

要旨　由雙手提至右上方、同往左下、雙腳左下右腳虛點、即從左手左腳復上至右上方、左腳虛點、

註解　「由雙手提至右上方、同往左」下、「下至右手在襠中、左手在膝外、」雙腳左下右腳虛點」、隨至右腳掌着地、」即從左手左腳復上至右上」方、右手斜與眼齊、左手還與心應」左腳虛點」、雙腳右去、左腳掌着地與前同、是互行法、

變化

方向

面向東方

姿勢

一手　雙手右下右手在襠中、左手在膝外、同往右上右手與眼齊、左手與心對、

二肘　兩肘交互相曲、　三膀　兩膀交互相鬆

四頭　左下左直、右上右直、　五眼　神注兩手梢、

六身　左下右上身橋扶正、　七腳　左往右來互為虛實、　八膝　左下雙腳曲、右上膝微伸、

九胯　左下兩胯下坐、右上兩胯微伸、俱分虛實、

摟膝　動作變化

要旨　兩手由上分開、交叉按于膝上、左腳橫蹬至左方、

註解　兩手由上分開、交叉按于膝上、兩手起時上分按時下合、背順右膝、掌心向下按去、左腳橫蹬至左方、用腳朝地擦去、腳指微向前斜、

方向　面向東方

姿勢

一手　兩手分開按下、交叉合于右膝上、

二肘　兩肘平曲、　三膀　兩膀向右下鬆、

四頭　向右側微俯、

五眼　神注交叉兩手梢、　六身　身橋右沉、豎直、

七腳　左腳橫蹬至左方、右腳踏緊、左虛右實、

八膝　右膝平曲、左膝崩展、

九胯　右胯坐實、左胯虛承、

(2) 動作

要旨　雙手橫分、至左右膝外、左膝曲、右膝伸、左手向左後去、右手朝上前來、

註解　雙手橫分至左右膝外、右手拉短、左手拉長、要緩急相等、同時俱到、左膝曲、右膝伸、與手同動、左手向左後去、右手朝上前來、左手順膝後摟至脊中、右手順膝上、轉至面前、與鼻照、

變化

方向

面向正東

姿勢

一手　右手與鼻尖照、左手與脊背照、
二肘　左右肘前後皆曲、
三膀　右膀前鬆、左膀後鬆、
四頭　向前立正、
五眼　神注右手梢、
六身　身橋扶正勿扭
七脚　左脚尖斜、右脚隨之、
八膝　左膝曲住、右膝蹬直、
九胯　左右胯俱下坐、

閃通背　動作

要旨　由摟膝往前進、上右手右脚、跟左手左脚、左脚根提起、

往解　『往前進、上右手右脚、右手右脚、從外向上往前進、上至膀平』跟左手左脚、左手左脚從下向裡朝右跟、亦至膀平、左脚根提起』提至與右脚相近、脚掌點地、

變化

方向　面向北方

姿勢

一手　右手向前進、掌朝前側、左手右跟、指向下捏、

二肘　右肘微曲、左肘彎曲、

三膀　兩膀平鬆、　四頭　豎直向右微側、

五眼　神注右手梢、　六身　身橋扶直、

七脚　右脚朝前、左脚根提起、　八膝　左右膝曲、

九胯　右胯坐下、左胯虛承、

(2) 動作

要旨　卸左手左腳、撤右手右腳、右腳指蹻起

註解　「卸左手左腳」、左手左腳、朝上起、往後向下落、至左大腿平、「撤右手右腳」、撤至右膝展直、「右腳指蹻起」、腿向下鋪、

變化

方向

面向北方

姿勢

一手　左手由上落至左膝外、右手由上下至右膝齊、左手臂朝前、右手掌朝前、

二肘　左肘曲右肘微曲、

三膀　兩膀鬆下、

四頭　向右微側、

五眼　神注右手梢、

六身　豎直勿歪、

七腳　右腳尖微蹻、左腳指抓地、

八膝　左曲右伸、

九胯　左胯坐實、右胯虛活、

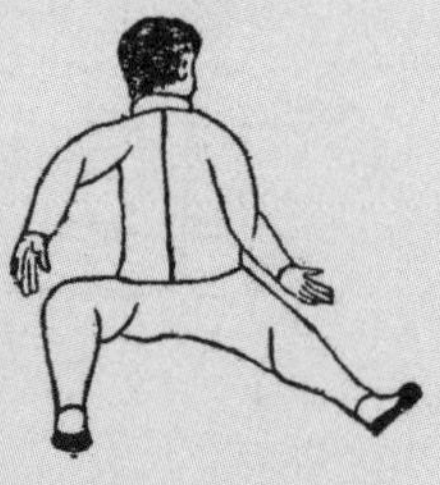

(3)

要旨　上左手左腳、右手右腳隨之、成四六步、

註解　『上左手左腳、』左手上、左腳跟去、左手自左而右、從下前進上托、左腳自左由下前進下踏、『右手右腳隨之』右手右腳隨左手左腳一活、亦從下往上托、腳從本地一擦往下踏、兩腳成四六騎馬勢、

變化

方向

面向南方

姿勢

一手　變手由下往前、合掌上托、
二肘　左肘曲、右肘亦曲、
三膀　兩膀平擡、　四頭　頭向上仰、
五眼　神注上方、　六身　身椿豎直、
七腳　兩腳微向左斜、
八膝　左膝曲、右膝微曲、
九胯　左右兩胯俱向下蹲、

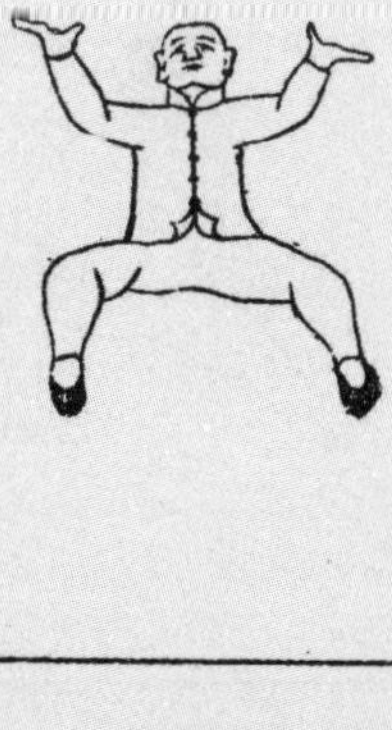

(廿) 動作

要旨　朝後卸右手右脚、左手左脚、隨右面後下鋪下、

註解　「朝後卸右手右脚、右手與右脚、由上往右、朝後卸下、」左手左脚、隨右面後下鋪「下、」左脚、不動、隨右脚後卸時一掙就勢鋪下、左手隨右手下至膝齊、左手在左膝裡、右手在右膝外、脚向右斜、

變化　一

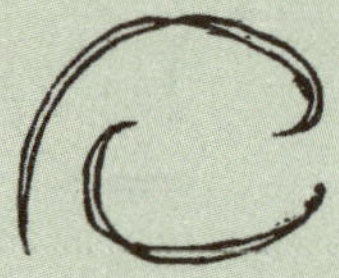

方向　面向北方

姿勢

一手　左右手臂、俱朝前、
二肘　右肘曲左肘微曲、
三膀　两膀下鬆、
四頭　略向左側、
五眼　神注左手梢、
六身　直立勿俯、
七脚　双脚向裡側、
八膝　右曲左伸、
九胯　右胯坐實、左胯虛承、

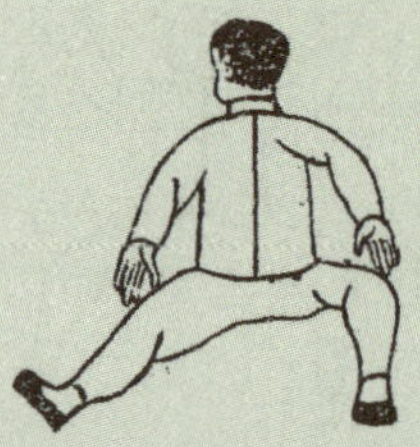

(ㄅ)

動作

要旨 右手右脚向上往前推、合于右方、左手左脚隨之、成右攻勢、

註解 「右手右脚向上往前推、合于右方」、右手右脚由下往上向前進、朝右略向下推、同左手合手右方、「左手左脚隨之」、左手左脚由下往上朝右去隨右手合于右方、「成右攻勢」、右膝曲住、左膝崩展、

變化

姿勢

一手 兩手合于前右方、左手遥與心應、
二肘 左肘曲、右肘微曲、
三膀 兩膀向右懸、

方向

面向南方

四頭 微向右側、 五眼 神注右手梢、
六身 身橋右沉直豎、 七脚 兩脚俱朝右側、
八膝 右曲左展、 九胯 右胯坐實、左胯朝下壓、

單鞭 動作

要旨 兩手往前合、左脚往前跟左脚掌點地、

註解 「兩手往前合」兩手就上勢往上轉下、往外向左去復從左往上往裡向右去、合于右上方、「左脚往前跟左脚掌點地」左手往右去時、左脚隨之往右去、用脚掌點地、前虛後虛無前傾後倒之患、

變化

方向

面向南方

姿勢

一手 兩手均向左回、向右上、右手與眼角平、左手微低、二肘 左回時、兩肘俱曲、右上時、兩肘仍曲、三膀 左回下鬆、右上前鬆、

四頭 微向右側、五眼 左回、神注左手稍、右上神注右手稍、六身 上下扶正、

七脚 左回右虛、右上左虛、成時左脚掌着地、

八膝 兩膝微曲、九胯 兩胯微向下蹲、

單鞭　　動作　　變化

要旨　兩手左分右合、下按上起至膀齊、左手往上、向左去、右手往下、向右去、左脚往左邁、右脚不動、

註解　「兩手左分右合下按上起、至膀齊左手往上向左去」、左手往上向左方展去、「右手往下向右去」、右手往下向右展出、「左脚往左邁」、左脚隨左手、邁向左去、「右脚不動」、右脚隨右手暗朝右動、用脚尖移向左去、

方向　面向南方

姿勢

一手　左手掌向左側、右手捏撑向下扎、

二肘　兩肘微曲、三膀　兩膀左右鬆、

四頭　豎直、微向左側、

五眼　神注左手指頭、六身　身樁扶直、

七脚　左右脚一順往左斜、

八膝　左膝曲住、右膝崩展、

九胯　左右胯皆往下坐、

雲手　動作

要旨　右手往右去、右腳步窄、左手收回丹田

註解　右手往右去、右手由丹田向上、往右雲、右腳步窄、右腳隨右手向右往回收半步、步窄身高為上雲與左低不同、左低為下雲、其實一樣、左手收回丹田、左手出去、左手回護、

變化

面向方向　南方

姿勢

一手　右手雲至眉齊、掌心向裡側、左手收回丹田、手臂朝前、　二肘　左肘曲、右肘微曲、

三膀　右膀前鬆、左膀下鬆、　四頭　頭向右微側、

五眼　神注右手指尖、　六身　身稍偏右沉、扶直、

七腳　右腳根虛、左腳踏實、俱向右側、

八膝　右膝虛曲、左膝微直、

九胯　右胯略往下坐、左胯下墜、

變高探馬　動作

要旨　左脚向前偷半步、右手右脚前上後卸、左手左脚回提脚掌虛點含實、一齊前去、

註解　「左脚向前偷半步」、為變方向、「右手右脚前上後」卸右手右脚同向前去、朝右卸回、左手隨之「左手左脚回提」、左手左脚朝右向下往上回提「脚掌虛點含實、一齊前去」、趁脚掌虛點時、左手左脚同右手一齊變實向前上、

變化

方向　面向西南

姿勢

一手　兩手成叉义式、右手臂朝上左手掌朝上、

二肘　左右肘皆曲、

三膀　兩膀向前下懸、

四頭　頭直左側、

五眼　神注兩手梢、

六身　身稍左側直豎勿向前俯、

七脚　右脚踏實左脚虛點虛中藏實、

八膝　左膝曲中帶伸、右膝曲以鎮之、

九胯　左右胯皆坐實、左胯虛中有實、

十字脚　動作

要旨　由上勢左手左脚朝左方斜去、右手跟在左肘之下、右脚邁過左脚之前、

註解　由上勢左手左脚朝左方斜去、左手左脚趁上勢一齊斜向前去、右手跟在左肘之下、右手從右下轉至左肘下面右脚邁過左脚之前、右脚横向左去、越過左脚前面、成交叉步之勢

變化

方向

面向西南

姿勢

一手　兩手交叉、俱手臂朝上、

二肘　右肘曲、左肘微曲、

三膀　兩膀向前平鬆、

四頭　直豎左側、

五眼　神注左手梢、

六身　身樁側直上下扶照、

七脚　右脚在前横踏、左脚在後正踏、

八膝　左右膝交叉微曲、

九胯　左右胯略往下蹲、俱向左側、

單擺脚　動作

要旨　左手在前、右手在後、右脚踢起、左手打住、

註解『左手在前、右手在後』既左手左前前有物來必用左手應之、右手助之『右脚踢』起右脚從襠中踢起往左方過『左手打住』左手不動、右脚往左手底下擺過踢住、謂之左手打住、

變化

方向

面向西南

姿勢

一手　左手自左前方展着平向左去、右手助之、

二肘　仍右肘曲、左肘微曲、

三膀　左膀向前平鬆、右膀隨之、

四頭　仍左側、

五眼　神注右脚尖、

六身　仍側直、

七脚　右脚踢起、左脚踏地抓緊

八膝　右膝曲、右膝微曲

九胯　左胯下墜、右胯鬆活、

指襠捶　動作

要旨　兩手從左方攻勢分開、拉成右前攻勢、隨手變為左前攻勢、同時右手打于襠中、左手置在左膀、

註解　兩手從左方攻勢、分開拉成右前攻勢、左手左拉、右手右捺拉、至右膝攻起、隨手變為左攻勢、同時右手打于襠中、左手置在左膀、由變左攻時、右變捶自右向上朝前打于襠中、左變捶、向上朝外往回收在左膀、

變化

方向

面向西南

姿勢

一手　右手握捶、虎口朝上、左手握捶、掌心朝上、

二肘　兩肘皆曲　三膀　兩膀向前下鬆、

四頭　頭豎直、　五眼　神注右手捶頭

六身　身橋豎直勿扭、

七腳　兩腳踏實、俱向左側、

八膝　左攻右展、右攻左展、雖互相攻重左攻、

九膀　左右膀、互相下墜、

金剛搗碓

動作

要旨　兩手外分裡合、右手斜右、左手斜左、右腳隨之正上正下、右腳隨之踢起、左掌右摟、合與心齊、

註解　「兩手外分裡合」、兩手由摟伸掌、後分前合「右手斜右左手斜左、」右手由右裡上右膝曲往左手、由左裡、下、左腳踏出「右腳隨」之右手外下隨右腳上與左腳齊、左手往外上、上至胸前、「正上正下、右腳隨之踢起」、右摟上起、左掌下去「右摟左掌、一齊合與心齊」、同時腳往上踢摟往下落、掌往上就、齊集心口、以掌抱摟、

變化

方向

面向正南

姿勢

一手　右摟左掌、以左掌抱右摟、

二肘　兩肘皆曲、　三膀　兩膀向前平鬆、

四頭　以端正為主、　五眼　神注兩手中

六身　身偏立正、微往下蹲、勿向前俯、

七腳　右腳微虛、左腳踏實、雙腳立正、

八膝　左右膝、微向下曲、

九胯　兩胯略往下蹲、

懶擦衣　動作

要旨　左手左脚往左卸、右手隨之、右手右脚往右上、左手隨之、

註解　『左手左脚往左』卸、左手手臂朝前往左去、卸至左膝外、左膝曲往、右膝展開、『右手隨之』右手卸襠中『右手右脚往右上』右手指至眼齊、右脚向右邁、右膝攻起、『左手隨之』左手叉腰、

變化

方向　面向南方

姿勢

一手　右手遥與眼應、左手叉于腰間、

二肘　左肘曲右肘微曲、

三膀　左膀下鬆、右膀前鬆、

四頭　微向右側、

五眼　神注右手指頭、

六身　身樁向右扶直、

七脚　兩脚俱向右側、

八膝　右膝曲往，左膝崩展、

九胯　左右胯皆向下墜、

鋪地錦　動作　變化

要旨　鋪左手左脚右手右脚隨往左下、

註解　〔鋪〕左手左〔脚〕左手左脚、朝後一齊向上抬起、往下鋪、右手右脚隨往左〔下、〕右手隨左手、亦向上抬起、右脚不動乘勢下鋪至地、左脚曲膝、右脚右膝展直脚尖上蹺、

方向　面向南方

姿勢

一手　左手下至左肋、右手收至膝内、

二肘　左肘曲、右肘微曲　三膀　兩膀左右鬆

四頭　微向右側、　五眼　神注右手指頭、

六身　身橋豎直、勿使前俯、

七脚　左脚踏實、右脚虛承、脚尖蹺起、

八膝　左膝曲住、右膝崩展、

九胯　左右胯、皆下坐、左胯實右胯虛、

挽刺行

動作

要言 右手右腳撩起前上左手左腳跟去、兩手往回合、左腳虛點、兩拳向前分、右腳後根墩、

註解 「右手右腳撩起前上左手左腳跟去」、右手右腳向上捶拳前冲、左手變拳連腳跟去、「兩手往回合、左腳虛點」、左手向右手上繞過回合、左腳掌跟去下墜、「兩拳向前分、右腳後根墩」、兩拳朝右膝分開搥下、用腳後根助力、

變化

方向 面微向西南

姿勢

一手 右手握拳、手臂朝上左手握拳、手心朝下、

二肘 左右肘皆曲、 三膀 兩膀皆向下鬆、

四頭 頭豎直、右側 五眼 神注右手拳尖、

六身 身橋側直扶照、勿使扭掉

七腳 右腳實中有虛、左腳虛中帶實、

八膝 兩膝皆曲、左實左虛、

九胯 左右胯、皆坐實下墜、

回頭探花 動作 變化

要旨 左手左腳朝上起、將向後跳、右手右腳隨之、

註解 『左手左腳、朝上起、將向後跳』左手左腳、朝左上方抬起、預備向後跳、『右手右腳隨之』右手右腳、即隨左手左腳、一是舉、起向後跳、

方向

面向西南

姿勢

一手 左手向后上起、同時右手亦隨左邊上起、

二肘 右肘曲、左肘微曲、

三膀 左膀向外上鬆、右膀朝裡下鬆、

四頭 向左上側、

五眼 神注左手梢、

六身 向左側直立、

七腳 左腳抬起向外、右腳踏實、

八膝 左膝曲、右膝微曲、

九胯 左胯上起、右胯下沉、

(2) 動作

要旨　由上式、向後跳成斜步、隨用左手扭至胯彎、同時右手從後折過到於襠內、

註解　「由上式向後、跳成斜步」、跳時左腳抬起、蹈于右腳後、右腳抬起蹈于後斜方、成斜步「隨用左手扭至胯彎」、左手隨之向後轉、下置于胯彎「同時右手從後折過到襠內」、虎口朝上打下、

變化

方向

面向東北

姿勢

一手　左手握捶、置左胯彎、右手握捶、打正襠中、

二肘　左肘曲、右肘微曲、　三胯　兩胯下鬆、

四頭　微向下俯、　五眼　神注右捶虎口、

六身　身橋扶正、勿使扭掉、

七腳　左右腳蹈寬、俱向左側、

八膝　左膝曲住、右膝展直、

九胯　左右胯、俱坐實、

折花蘭香　動作

要旨　右摟從襠、左摟自胯、一齊往右上、兩腳隨之、

註解『右摟從襠左摟自胯、一齊往右上』右摟從襠向外往右去、左摟自胯朝裡往右去、一齊往右上、『兩摟同時齊向右上方打去、兩腳隨之』右腳向外往右去、左腳朝裡亦往右去、至右方、兩膝皆曲、左腳虛點、

變化

方向

面向東北方

姿勢

一手　兩手握拳、兩拳相合、

二肘　左右肘、皆曲、　三膀　兩膀俱向右鬆、

四頭　頭直、微向右側、　五眼　神注兩手拳尖、

六身　身檣豎直、　七腳　右腳踏實、左腳虛提、

八膝　兩膝皆曲、右膝曲實、左膝虛助、

九胯　右胯往下蹲、左胯虛活、不須太曲、至成時、往下蹲平

單鞭

動作

要旨　兩捶下按，變掌上起，至眼角齊，左手左去，右手右去，左腳左邁，右腳不動。

註解　兩捶下按，變掌上起，至眼角齊，由捶沿路變掌，同往上起，至右眼角齊，左手左去，左手往上向左方展去，右手右去，右手往下朝右方展去，左腳左邁，左腳同時隨左手邁向右方，右腳不動，右腳乘右手朝下拐，右腳尖向裡移。

變化

姿勢

一手　左手側掌，掌心向裡，右手捏撐，手指向下。

二肘　兩肘微曲。　三膀　左膀上懸，右膀下懸。

四頭　頭直，微向左側。　五眼　神注左手梢。

方向　面向北方

六身　身檣扶正，勿向左歪。

七腳　兩腳俱蹈寔，一順左斜。

八膝　左膝曲住，左膝展開

九胯　左右胯俱向下坐。

鋪地錦 動作

要旨 鋪右手右脚、左手左脚隨之、

註解 「鋪右手右脚、右手右脚朝後」是向上抬起往後鋪「左手左脚隨之」左手隨右手、亦向上抬起、往下落、右脚下落左脚鋪于地上、左手亦隨之下

變化

方向 面向北方

姿勢

一手 右手鋪至右肋間、左手鋪至左膝前、

二肘 右肘曲、左肘微曲、

三膀 兩膀下鬆、

四頭 微向坐側、

五眼 神注左手梢、

六身 身橋豎直、勿向前俯、

七脚 右脚踏寔、左脚蹺起、虛中有寔、

八膝 右膝曲住、左膝伸直、

九胯 左胯坐寔、右胯鬆活、

上步刺行　動作

要旨　左捶左脚擦起前上右捶右脚跟上雙捶回合右脚虛點雙捶向前分右脚卸回

註解　「左」捶左脚擦起前上右捶右脚跟「上」左捶左脚向上前冲右捶右脚連步跟上「雙」捶回合右脚虛「點」右捶往左手下繞上轉回合往右脚掌跟去下沉「雙」捶向前「分」右脚卸「回」雙捶朝左膝上分開下捶右脚一沉卸回

變化

方向

面微向西北

姿勢

一手　左手握拳在前向上右手握拳在後向下

二肘　左肘向上曲右肘向下曲

三膀　左膀上鬆右膀下鬆　四頭　直微向左側

五眼　神注左拳尖　六身　豎直忌扭掉

七脚　左脚踏寔右脚虛中帶寔

八膝　左膝寔曲右膝虛曲

九胯　左胯坐寔右胯虛活

卸步挎弧　動作

要旨　卸右拳右腳、提左拳左腳、右拳在前在上、左拳在後在下、左腳虛提、

註解　『卸右拳右腳、提左拳左腳』兩拳從左膝一分、右腳後卸、左腳迅速隨住撤回、『右拳在前在上、左拳在後在下』、右拳從左膝向右方上至面前、左拳從左膝向外方、收到背後、『左腳虛提』

變化

方向　面向西北

姿勢

一手　兩手握拳、右拳與髮際齊、掌心向下、左拳與脊骨照、掌心向上、

二肘　右肘前曲、左肘後曲、　三膀　左右上下鬆、

四頭　左側順直、　五眼　神注右拳尖

六身　身橋扶照、　七腳　左腳虛懸、右腳踏實、

八膝　右膝實曲、左膝虛曲、

九胯　左右胯、皆蹲下、左胯實承、右胯虛提、

轉臉擺脚 動作

要旨 由上式背面轉過來、雙手俱向右方、右脚抬起、過襠展出、雙手打住、向右斜方踏去、

註解 「由上式背面轉過來、雙手俱向右方」、右手向右平展、左手向右平與心遙應、「右脚抬起過襠展出」、雙手打住」、雙手由右往左、右脚由襠往右碰住雙手「向右斜方踏去」、順勢右脚從上落下、踏于右斜方、與右脚斜對、

變化

方向

面向西南

姿勢

一手 雙手由左往右、右側由右往左、左側、俱手臂側朝裡、 二肘 右方、左肘曲、左方、右肘曲

三膀 左右互鬆、 四頭、 左右互側、豎直、

五眼 神注左右手梢、 六身 左右直豎、

七脚 右脚抬起、往襠擺過碰手、左脚五指抓地、

八膝 左膝微曲、右膝收襠裡曲、伸出展直、

九胯 左胯沉住、右胯鬆活、

當頭砲　動作　變化

要旨　雙手由左下至右、即由右上至當中、左手在前、右手在後、左腳攻起、右腳展開、

註解　雙手由左下至右、左手在右膝內、右手在右膝外、即由右上至當中、即由右邊雙手變成拳、上至胸前、左手在前、右手在後、雙拳俱掌緣朝前中成太極、左腳攻起、右腳展開、左腳隨左拳前攻、右腳隨右拳後墜、

姿勢

一手　雙手至右、變拳、手臂俱側朝上、兩拳遥與鼻准對、二肘　兩肘俱曲、

三膀　兩膀平鬆、四頭　直豎微向左側、

方向　面向西南

五眼　神注左手拳頭、六身　直豎微向左側、

七腳　兩腳踏實、一順左側

八膝　左膝曲住、右膝崩展

九胯　左右胯俱坐實下墜、

還原、 動化

總解 因上勢陽往上升、陰往下降、化為陽升天、陰入地、水火不相濟、此則由分復合、左右互交上、落下就、石拳左掌、重會于心口、雙脚往來隨之、雙手仍收回兩大腿外側、令陰陽仍相交合、化生萬有、

變化

姿勢

一手 兩手略沉、

二肘 兩肘微曲、

三膀 兩膀下鬆、

四頭 豎直勿歪、

面向正南 方向

五眼 眼向平視、

六身 身椿直立、

七脚 兩脚平踏、

八膝 雙膝微曲、

九胯 兩胯略墜、

中華民國二十四年五月

初版

版權所有翻印必究

蔣老夫子傳
太極拳正宗共八
冊余所編皆係余
師任老夫子所傳其
一生所繪總畫及
十三樣手法之畫
僅兩見在先與余
師兄陳四典繪遥
一次陳已沒世其
次余馬此外未聞
再繪近周余如弟
劉瀛仙囑余公閱
公之同好今將一
冊先付印馬其余
正在編述中

編述者　沁陽杜元化

校閱者　鞏縣劉煥東

校背絲扣者　沁陽杜善慶　滑縣高玉璞　洛陽楊耀曾　鄭縣朱德全

印刷者　開封城內中山南街魁生德

太極拳正宗

目　录

懒擦衣

单鞭

变金刚捣碓

白鹅亮翅

搂膝拗步

斜行拗步

建前堂

披身捶

合手

出手

肘底看拳

倒卷肱

白鹅亮翅

搂膝拗步

闪通背

单鞭

云手

高探马

右侧脚

左侧脚

抱月蹬根

青龙击水

二起

怀中抱膝

踢一脚

蹬一根

掩手肱捶

抱头推山

单鞭

前照

后照

勒马势

野马分鬃

探马势

玉女蹿梭

背折靠

单鞭

云手

跌叉

更鸡独立

朝天镫

倒卷肱

白鹅亮翅

搂膝

闪通背

单鞭

单鞭

云手

变高探马

十字脚

陈序

拳术大宗有二：一曰少林，为外家；一曰武当，为内家。外家练形气，内家练神理。外家是由外固内，内家是由内达外。其为内外交修，归极则一也。世所传太极拳，精微奥妙，名同实异者实繁有徒。今尚有湮没弗彰河南温县赵堡镇之太极也。余观其拳，系师承怀庆温县蒋先生发。蒋生于明万历二年，学拳于山西太谷县王林桢，王之师曰云游道人。有歌曰：“太极之先，天地根源，老君设教，宓子真传，宓了而后，代有传人。”因姓氏未传，不克详征。至三丰，神而明之，发扬广大，号曰武当派。其后由云游道人数传至赵堡镇，其术由来〼〼要。其术神理奥妙，通天地人而成一家，可以养生，可以御侮，技也近于道矣。余酷嗜拳法，历访名家，冀得其精秘，不料今得杜先生育万所著秘而不传太极拳图解十三样，公之同好，方觉太极拳名实相符。其说尽以人身比天地，层层对照，悉以后天引先天，发出丹田中先天真气，身体自然强健，纯是一等韧力。窃闻强种救国以强健身体为上乘，而其拳术若是对于强健身体尤为握要。其最妙者，始由天道起，中抱六十四势，每势练够十三样手法，即一圆、两仪、四象、八卦是也，末以天道终。然杜先生由是而学，所以教人循循善诱，不愿躐等。余乐其第一册初成，爰志数语，以勖同志勉学焉。

中华民国二十四年五月

河南省国术馆馆长陈泮岭谨序

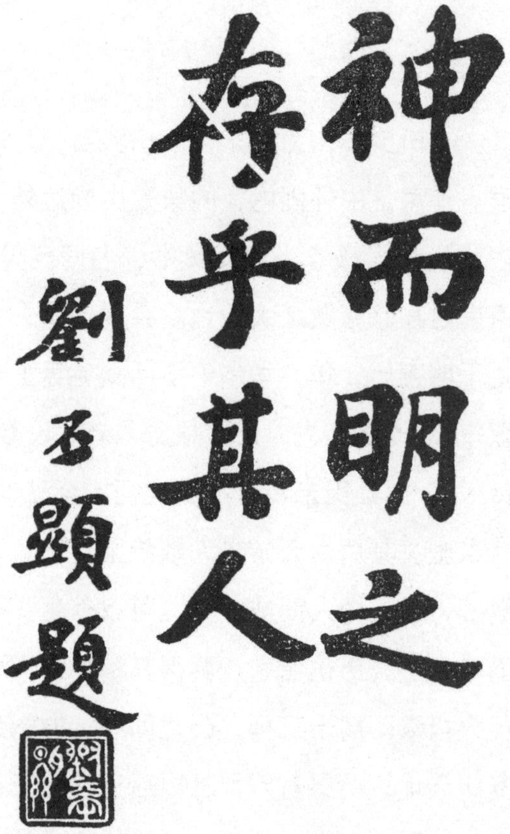

刘丕显题词

太极拳溯始

余先师蒋老夫子，原籍怀庆温县人也，生于大明万历二年，世居小留村，在县之东境，距赵堡镇数里之遥。至二十二岁，学拳于山西太原省太谷县王老夫子讳林桢。事师如父，学七年，礼貌不稍衰。师亦爱之如子。据闻，王老夫子学于云游道人。学时即告以此拳之来历久矣。此拳何自来乎？有歌为证。歌曰："太极之先，天地根源。老君设教，宓子真传。玉皇上帝，正坐当筵。帝君真武，列在两边。三界内外，亿万神仙。传与拳术，教成神仙。""今将此歌此道以及诸秘诀传之于汝，汝必择人而传，不可不慎。"所以蒋老夫子学成之后归家之时，王老夫子嘱曰："汝归家，此术不可妄传，并非不传。汝传是不得其人不传，果得其人，必尽情以教之。倘得人不传，如同绝嗣。能广其传更好。"

归家之时，其村与赵堡镇相距甚近。赵堡有邢喜怀者，素慕蒋老夫子拳术绝伦，因素无瓜葛，无缘从学，每逢蒋老夫子到镇，相遇必格外设法优待，希图浃洽，意在学拳。如此，蒋老夫子阅二年之久，见其持己忠厚有余，待人诚敬异常，察知其意，始以此术传之，其中奥妙无不尽泄。

其后，有张楚臣者，邢先生之同盟弟也，想其人不卜必端，所以邢先生又尽情授给之。张楚臣先生原籍山西人也，初在赵堡镇以开鲜菜铺为业，后骏发改作粮行，察本镇陈敬柏先生人品端正，凡事可靠，所以将此术全盘授之。

其后陈先生欲扩张此术，广收门徒至八百余，能得其一技之长者十六人，能得其大概者八人，能统其道者惟张宗禹先生一人。其后传给其孙张先生彦，先生又传给陈先生清平。清平先生传给其子景阳及本镇其少师张应昌、和兆元、牛发虎、李景颜、李作智、任长春、张敬芝。历代传人很多，不能备载。以上所录诸老夫子皆有事迹可考，另注有册。

余师尝云："此拳本是修身炼气之术、长生不老之基，打人尤其余事。"试观此拳，无论何层，统是因人之同然，随人之自然，其实不外乎个人一心之本然。至其或动或静，无非主宰、流行与对待，不然，何以名曰太极？如就此拳统论之，全是以人身比天地。细分之，又是以人身之动作仿太极。太极分动静、屈伸、虚实、刚柔，包藏至道，略举数端以明，并非无稽之言。怎见得？如说动静屈伸，歌云"静分动合屈伸就"；说虚实，歌云"左宜右有虚实处"；说刚柔，歌云"极柔极刚极虚灵"；说至道，歌云"一羽不加至道藏"。这都是按人身之动作与太极合，确确有据。世皆谓是三丰祖师所传，余亦特信。想当彼时，三丰祖师因世乱隐居武当，号曰丹士，将此拳练至神化之域，技冠当代，名著环球，朝野之人无不钦佩，在武术中不亚孔子在文学内集郡圣之大成，所以斯术号为武当派。名曰三丰传，然究其根，则此拳之发源，不自此始何则？据余师所闻，云此拳乃系老子所传，惜余师等皆早仙逝，余言无处可征。虽无处可征，□有前歌尚存，说是“宓子真传”，即此一句可以证明。宓子即□□，号曰尹文始，为老子之高徒，越五世传□□□□三丰，则庶几与余师等历代相传之，歌语□然。余不过谨据所闻如此，亦未敢确为决定。今世皆说是三丰所传，亦犹余敝处多说是□蒋老夫子所传，又犹现在余敝处说是清平老师所传，然此均非无稽之言。按实此拳是为学家体育一法，即三丰祖师亦非斤斤然。以此拳名世，不过藉此为练丹之术，使世人知练斯术者，可以延年益寿，久之真能练至纯阳，即可云仙。由是观之，谓为三丰所传，谓为文始所传，谓为蒋发所传，谓为清平所传，皆是也。总一归本于老子所传，方可谓之真源。

自序

余师任先生讳长春，沁阳县境东南西新庄人也。聘在余村教授五年间，尝云："练太极拳者，若不知此中秘诀与各层图解，虽朝夕用功，或整年累月，甚至练数十年之久，在彼意谓'只要有工夫就能造成高手、妙手'，吾谓'徒妄想耳'，可为之下一断语，譬如愚人妄想升仙路、瞎汉夜走入深山，不惟无益，甚且有损。"余谓此云，确是有阅之言，学者甚勿视为平淡之语。

自序

拳术为我国国粹，盖世之通论也。余世居沁阳义庄，初学拳于余村牛老夫子玉璠，教有七十二路战捶以及炮捶、五合、六合、七贯练法，以战捶为根据，乃余村数百年之流传。凡在幼时无不锻炼，不上三年将打破开拿，确实指点，即能作用。能此，凡谓技出人上，自觉所谓国粹者，不过如此。余友崔玉文之姊丈张生全，素号太极拳家，不知其仅学一联，每至余村，说：“太极拳高出一切。”频与戏斗，伊无不失败，其心虽是不服，无奈余何。彼张生全忽于光绪三十一年春，偶携一人，童颜鹤发，飘飘然来，儒雅异常，温和可亲，说是沁温两县太极拳专家。余暗计伊系文人状态，量无特长，因故问：“太极拳有何奇术?”伊云：“毫无奇术，只一自然而已。”余追问：“何谓自然?”伊云：“本乎天道，不尚勉强。”余谓：“练拳与天道何关？请道其详。”伊从容言曰：“人身即天地，天地即太极，太极之内分出先后天。练斯拳者，以后天引先天，其中有无数层折，均须一层挨一层，不得躐等，否则无效。练至心肾归丹，催动铅汞，安轴安轮。并且，与天地合德，指人腹背而言；与日月合明，指人耳目而言；与四时合序，指人肺肝而言；与神鬼合吉凶，指呼吸而言。能明此，延年益寿。”于是乎，在余闻至此，不禁神驰，曰：“不图为拳之至于斯也，即请先生肯传人否?”伊云：“苟非其人，道不虚传。”便宿辞去，余方俯首敬请姓名、住址。伊云：“姓任名长春，世居沁温两界，村名新庄。”别后，余友崔君爱慕殊深，余则滋甚因语。余曰：“世有如此妙手，你我聘以重币，延之为师，更加优待，何愁不传?”转眼春去夏来，即于本年六月特将任先生聘来。余父与先生亦极其相契。至晚，云：“吾仆遑多年，未获受家，汝等要是同俗学打，吾诚厌教，要是学过没恒，就势不要入手。”余即应曰：“生先要看余等可教，誓以学尽为止。”先生大喜，随施教焉。后渐增至学徒七人。每逢夜静，方以秘诀口授，余皆秘用笔记。学至三年，余劲始过，方知所谓铅汞者如此。犹记第三年腊月二十一日，余师因过年归家，去后劲忽不过，不啻如至宝。至二十三日，心神俱乱，决意赴温求师，余父不允，余心郁郁，无可奈何。至二十四日，奉父命进城购物，乘此机直奔新庄。至时，余师惊曰：“汝来何干?”余以实对。师曰：“易易。”至晚有客，将余闷坏。客去更深，命同榻就寝。至五更，背师私起自练。余师忽醒，指名呼余不要再练。师急披衣下榻，用手一点，其劲即过。至天明，余即返沁归家。又二年，方将手法学全。余师心喜，余亦乐甚。约云以后只用乾坤颠倒颠，余更乐甚。如此，安忍一日相离哉？那料，自五月归家获病，至七月十六日竟一病不起，即仙逝矣。彼时，余亲视含殓，兼送归窆。虽痛之失声，天实为之，谓之何哉？嗣后，对拳术几无心练。延至民国二十年，本省立国术馆，考取武士，余叨列评判。考毕，即设班训练，又充教授。至第二期，学员亲自积资，邀余将余所学编辑成册，以备摹仿。哪知册成被阻未印，令余无异抱荆山之泣。遂后，余亦离馆，将册作废。今学员将款追出，又邀付印，将所辑一册先行付印，其或有遗失错谬，望有识者为指迷津。

中华民国二十四年五月

河南沁阳附生杜元化谨序 于汴垣

太极拳启蒙序

窃闻余师述蒋老夫子所传赵堡镇太极拳只“太极之先，天地根源”二语尽之。何则？太极，即天地也。太极之先，即无极也。天地根源，天地仍太极也，根源即无极中之背丝扣也。背丝扣，既为天地根源，即为太极之母也。今编述太极拳第一册，名曰“启蒙”，因其中动作着着混圆，与天地之无极同，由着着混圆历三直、四顺、六合，等等，本人身之混圆而造为背丝扣，与天地根源同。既与天地之根源同，则人身之背丝扣，非即为人身练太极之母乎？既为人身练太极之母，则太极拳之基实肇于此。太极拳之基既肇于此，则其中所练之两仪、四象、八卦诚无不肇于此矣。然此册本名曰"联"，实为太极拳入门之初步，所以名之曰"启蒙"，撮其要旨则曰"纲领"，举其全体则曰"太极拳正宗"。

中华民国二十四年五月

河南沁阳杜元化序于汴垣

(杜元化印)

太极拳缘起

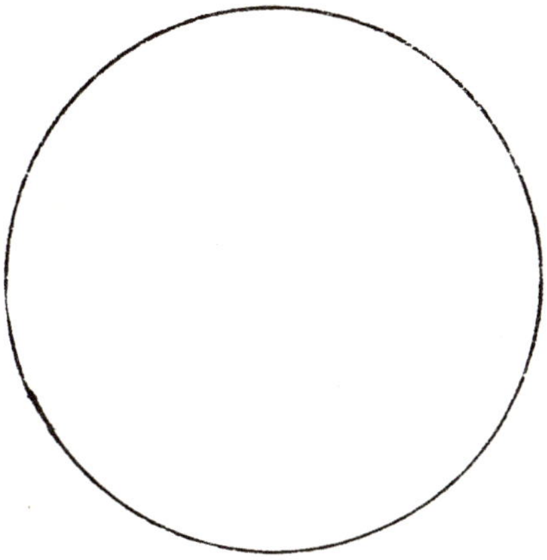

无极图

图解

空圈之中，天地未分。恍恍惚惚，阳中有阴。恍惚之际，又觉不仅阳中有阴，还像阴中有阳。究竟辨其何为阴、何为阳？仿佛似按不实。若谓其无阴与阳，俨然实有此阴阳之现象，亦不得谓其为无。至于积久而阴阳自分，当未分之时，故曰“无极”。人身亦犹是也。当初练拳时，亦不知其何为阳、何为阴？纵有时觉察，亦在恍惚之中，故亦号曰“无极”。

练法

当洪濛之时，天地未分，无边无际，混圆而已。恍恍惚惚，其中含有三直、四顺、六合、四大节八小节。虽在恍惚之中，绝未见其气有撇有停，毫无主宰而踏□流水，此天地未分之现象也。人身亦然。

如天地是混圆，人身无处不是混圆。天地有三直，是上、中、下；人身亦有三直，是头、身、腿。天地有四顺，是寒、温、暑、凉；人身亦有四顺，是手、身、腿、脚。天地有六合，是上、下、四方；人身亦有六合，是手、脚、肘、膝、膀、胯。天地有四大节，是春、夏、秋、冬；人身亦有四大节，是两膀、两胯。天地有八小节，是四立、二分、二至；人身亦有八小节，是两手、两肘、两膝、两胯。天地旋转未见有撇有停，是气数；人身动作亦是不撇不停，亦是气数，不过未免有时嫌滞。天地有主宰是理，而不流水是节候；人身亦是有主宰是心，而不流水是节制，不过未免有时梢混。所以吾人本太极以造拳，必须从三直、四顺、六合、四大节八小节、不撇不停、不流水做起，为练拳洪濛之时，所以名曰“无极”。虽说与天地斤斤有关，并非外铄强为牵拉也，然非修练经过者，不知若将此数层练过，其中之混圆一变即是背丝扣，斯拳之联备矣，再由背丝扣一变即成太极。练至此，正气机变化之几也，然此是未变太极以前之事，故号曰“无极”，亦名曰“联”。

太极拳启蒙规则

（一）空圈

一势一势都练成空圆圈，即是无极，即是联。故每势以转圆为主，不须断续，不须堆洼，如此做去，方为合格。

（二）三直

头直，身直，小腿直。三者何以能直？细分之，是不前俯、不后仰，不左歪、不右倒，不扭膀、不掉膀，自然上下成直。

（三）四顺

顺腿，顺脚，顺手，顺身。四者何以能顺？细分之，是手向左去，身顺之去；腿向左去，脚亦顺之去。推顺脚时，先将脚尖撩起，随势而动。切记不可抬高移动身之重点。向右顺亦然。

（四）六合

手与脚合，肘与膝合，膀与胯合，心与意合，气与力合，筋与骨合。

（五）四大节八小节

两膀、两胯为四大节，膀为梢节之根，胯为根节之根，周身活泼，全赖乎此。八小节，两肘、两膝、两手、两脚，节节随膀随胯挨次运动，勿令死滞，自能顺随，与膀胯为一。

（六）不撇不停

每动一着，左手动右手不动为撇，右手动左手不动亦为撇。脚之作用与手同。不到成势时止住是为将劲打断，名曰停。犯此，无论如何锻炼，劲不接连，终无效用。

（七）不流水

每一着到成时一顿，意贯下着，是为势断意不断。如不停顿，一混做去，谓之流水。犯此，到发劲时，因势无节制，劲无定位，必致劲无从发，此宜深戒。

总括

四梢

每一动作行于四梢，此为练拳者之必要，有歌为证。歌曰：“牙齿为骨梢，舌头为肉梢，指甲为筋梢，毛孔为气梢。”

总歌兼体用连联解

一圆即太极

此层从背丝缠丝分出阴阳。其练是缠法，其用是捆法。此层图解歌诀列在此卷之首。

上下分两仪

此层阳升阴降，阳轻阴重。其练是波澜法，其用是就法。此层图解歌诀列在此卷之首。

进退呈四象

此层半阴半阳，纯阴纯阳互为往来。其练是蛩法，其用是伏贴法。此层图解歌诀列在此卷之首。

开合是乾坤

此层天地相合，阴阳交合。其练是抽扯法，其用是撑法。此层图解歌诀列在此卷之首。

出入综坎离

此层火降水升，水火沸腾。其练是催法，其用是回合法。此层图解歌诀列在此卷之首。

领落错震巽

此层雷风鼓动，有起有伏。其练是抑扬法，其用是激法。此层图解歌诀列在此卷之首。

迎抵推艮兑

此层为口为耳，能听能问，彼此通气。其练是称法，其用是虚灵法。此层图解歌诀列在此卷之首。

命名十三式

总而合之为十三，因各有效用，故不得不别之为十三。

此是真秘诀

其中所包一圆、两仪、四象、八卦各有秘诀，一丝不紊，一太极图之中而十三式俱现，秘莫秘于此矣。

万万勿轻施

秘戒学者，慎重传人，切忌滥授。

是歌均绘有图、有解，有练法、有通俗、有由体达用，共分七层，连联而为八。联虽不归致用，不列歌内，其实为致用之母，况歌中七层皆由此而生，此层为练拳洪濛之世，如初学时自始至终无非混混沌沌，莫明其故，迨练至背丝扣，心中恍惚才有一点明机，而太极之生实肇于此矣。故歌从一圆即太极起。

太极拳总论 附歌

歌云　河南怀郡温邑赵堡镇陈清平

举步轻灵神内敛，莫教断续一气研。

左宜右有虚实处，意上寓下后天还。

一举步，周身俱要轻灵，尤须贯串，气宜鼓荡，神宜内敛。

歌云：举步轻灵神内敛。

勿使有凸凹处，勿使有断续处，其根在脚，发于腿，主宰于腰，形于手指，由脚而腿而腰，总须完整一气，向前退后，乃得机得势。有不得机得势，其病必于腰腿间求之。

歌云：莫教断续一气研。

虚实宜分清楚，一处自有一处虚实，处处总此一虚实，上下前后左右皆然。

歌云：左宜右有虚实处。

凡此皆是意不在外面，有上即有下，有前即有后，有左即有右，如意要向上即寓下，意若将物掀起而加以挫之之力，斯其根自断，乃坏之速而无疑。总须周身节节贯串，勿令丝毫间断耳。

歌云：意上寓下后天还。

背丝扣为太极拳之母，是此拳彻始彻终工夫。此论此歌是教人单做背丝扣顺逆动作之法，故以总称之。

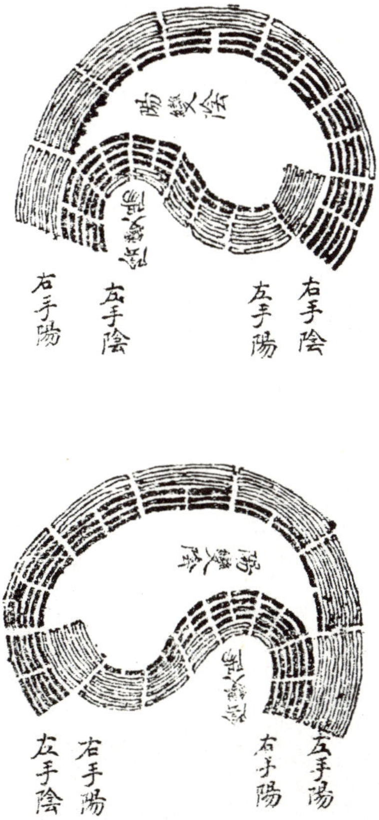

背丝扣图

太极拳目录

第一节

金刚捣碓、懒擦衣、单鞭、变金刚捣碓。

第二节

白鹅亮翅、搂膝拗步、斜行拗步、建前堂。

第三节

披身捶、合手、出手、肘底看拳、倒卷肱、白鹅亮翅、搂膝拗步。

第四节

闪通背、单鞭、云手、高探马。

第五节

右侧脚、左侧脚、抱月蹬根。

第六节

青龙击水、二起、怀中抱膝、踢一脚、蹬一根、掩手捶、抱头推山、单鞭。

第七节

前照、后照、勒马势、野马分鬃、探马势、玉女蹿梭、背折靠。

第八节

单鞭、云手、跌叉。

第九节

更鸡独立、朝天镫、倒卷肱、白鹅亮翅、搂膝拗步。

第十节

闪通背、单鞭、云手、变高探马。

第十一节

十字脚、单摆脚、指裆捶、金刚捣碓。

第十二节

懒擦衣、铺地锦、挽刺行、回头探花、折花闻香。

第十三节

单鞭、铺地锦、上步刺行、卸步挎弧、转脸摆脚、当头炮、还原。

太极拳十三式手法起源之图

本太极拳十三式手法，始由天道起，中包六十四势，每势要练够十三字，即一圆、两仪、四象、八卦是也，末以天道终。余师云："苟非其人，道不虚传。"

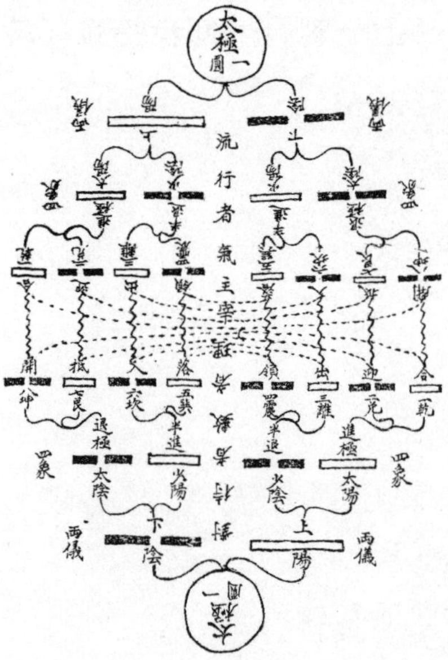

太极拳十三式手法起源之图

背丝扣图解

背丝扣为太极拳彻始彻终工夫，其所以然者，何哉？盖以太极拳之动作姿势仿佛若是也。试观空圈之中，恍恍惚惚，其气机发出一种现象，一向一背，分顺分逆，非象夫背丝扣乎？非象夫太极中一明一暗之曲丝乎？故以背丝扣名之，实以背丝扣代之。切望练斯拳者要以斯图为必有事，方能寻着太极拳之真门径，准可造出太极拳之真铅汞。由是循序渐进，则庶乎其不差矣。

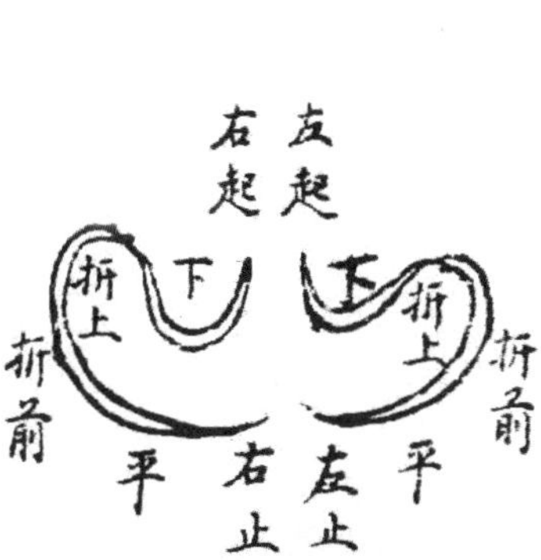

金刚捣碓（1）

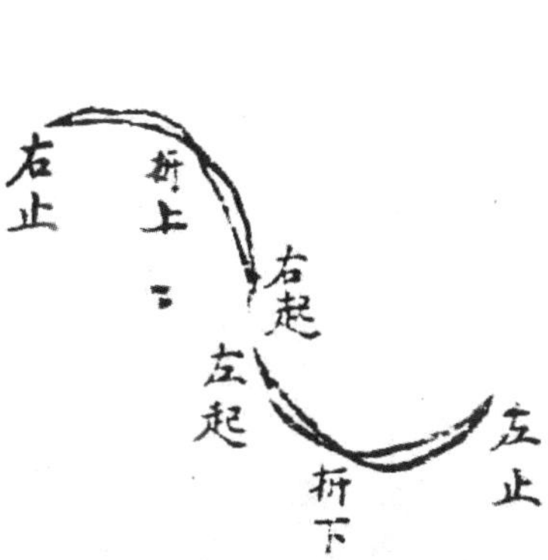

金刚捣碓（2）

金刚捣碓（3）

金刚捣碓（4）

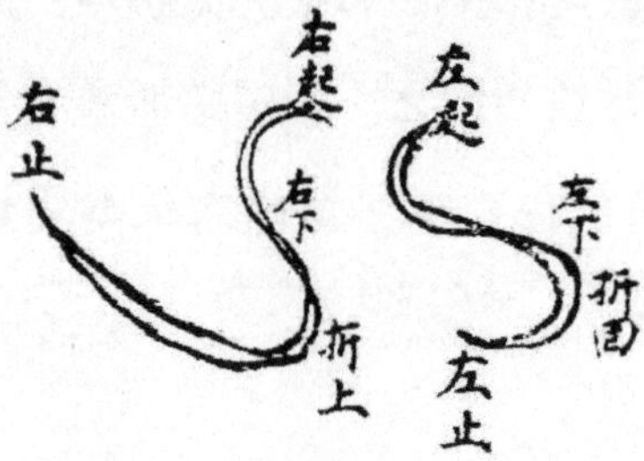

懒擦衣

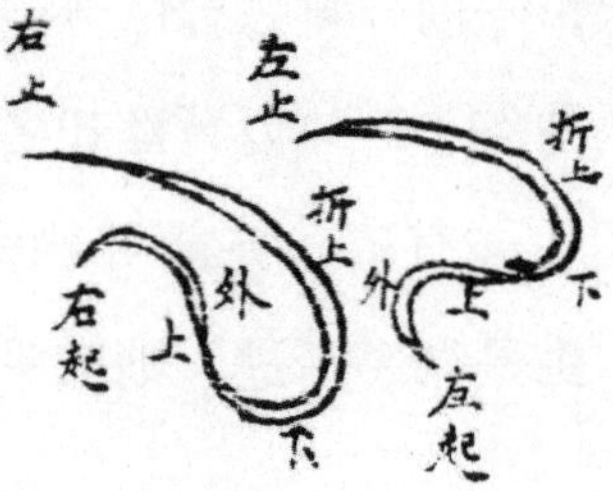

单鞭（1）

单鞭（2）

单鞭（3）

变金刚捣碓（1）

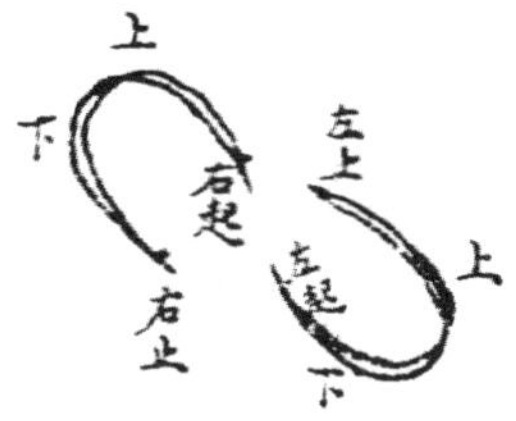

变金刚捣碓（2）

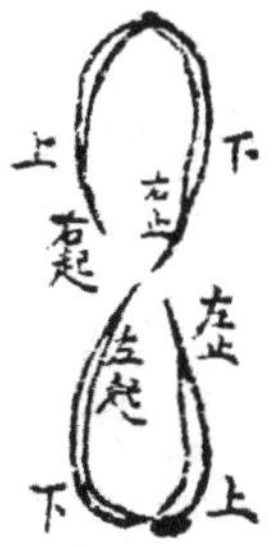

变金刚捣碓（3）

白鹅亮翅

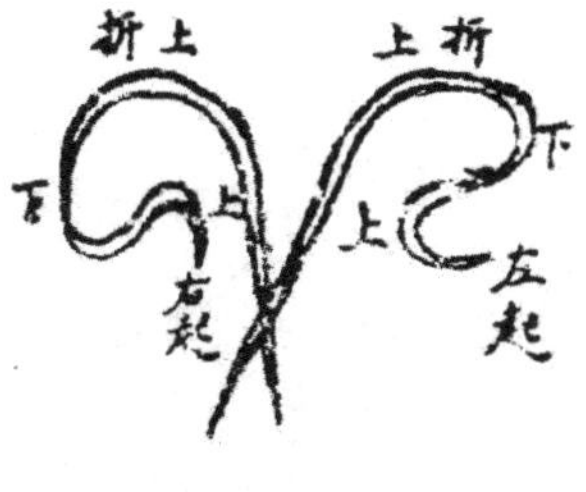

搂膝拗步（1）

搂膝拗步（2）

搂膝拗步（3）

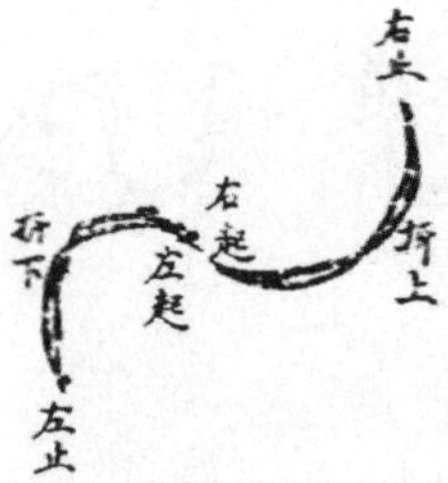

搂膝拗步（4）

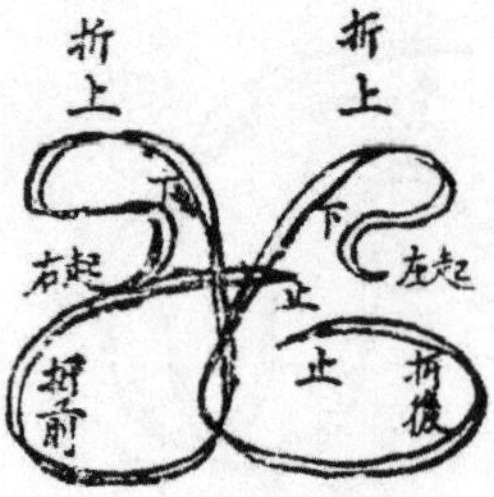

斜行拗步（1）

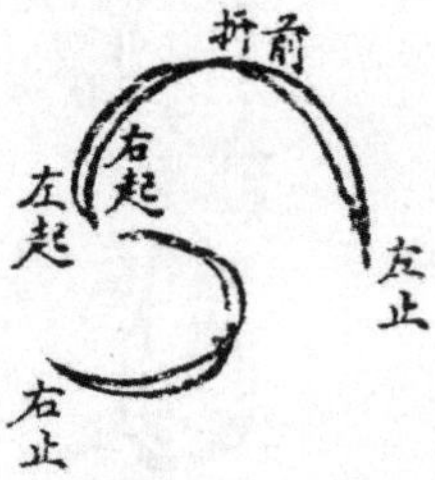

斜行拗步（2）

斜行拗步（3）

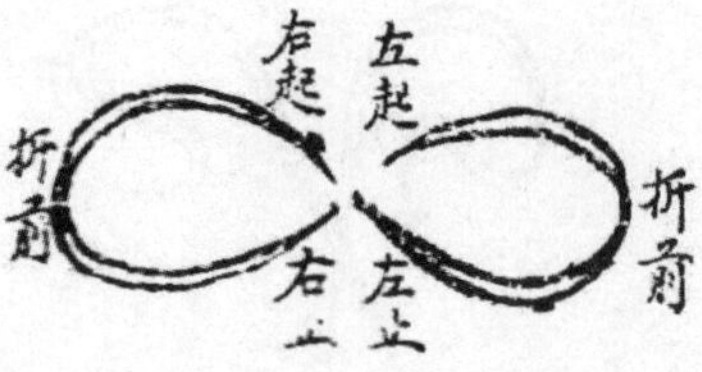

建前堂

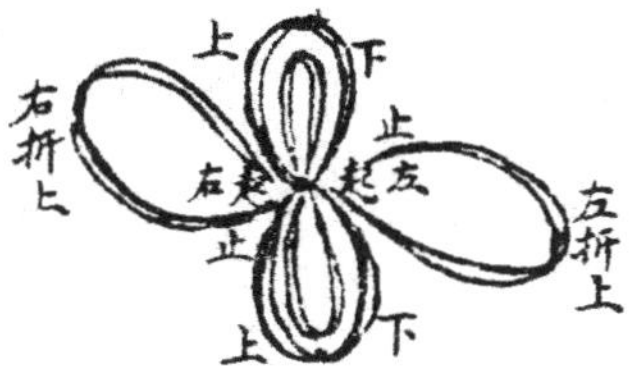

披身捶

合手

出手

肘底看拳（1）

肘底看拳（2）

倒卷肱（1）

倒卷肱（2）

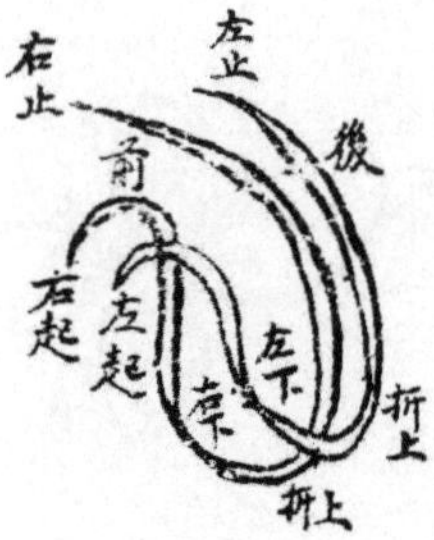

白鹅亮翅

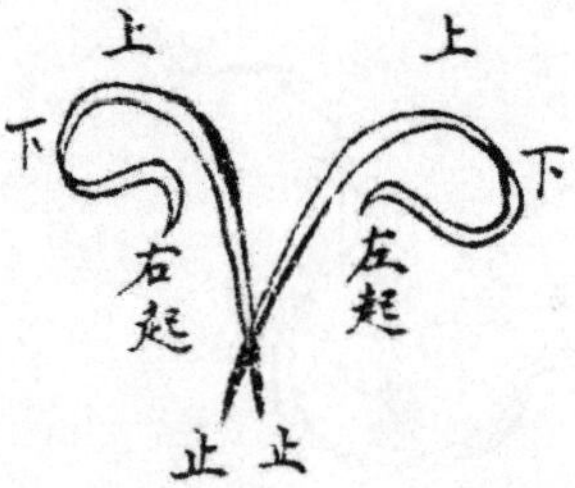

搂膝拗步（1）

搂膝拗步（2）

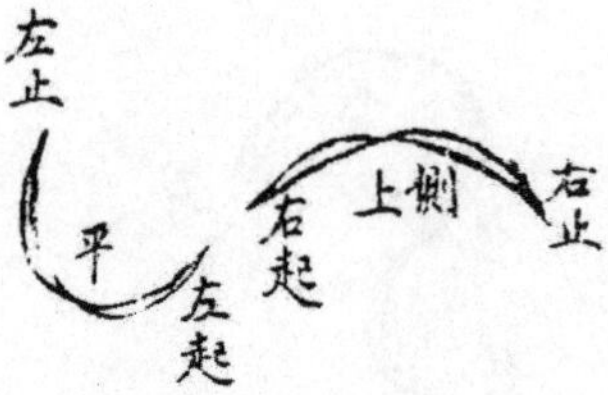

闪通背（1）

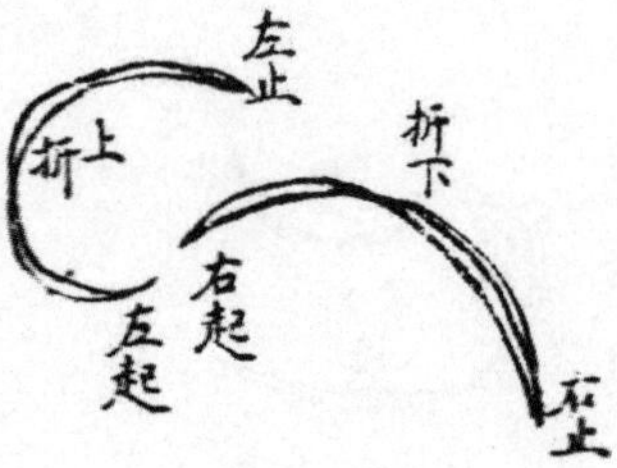

闪通背（2）

闪通背（3）

闪通背（4）

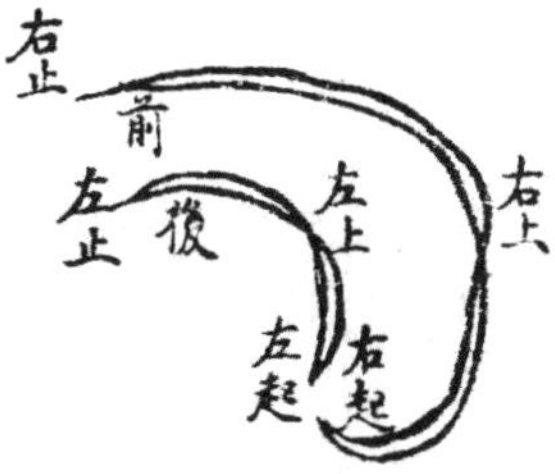

闪通背（5）

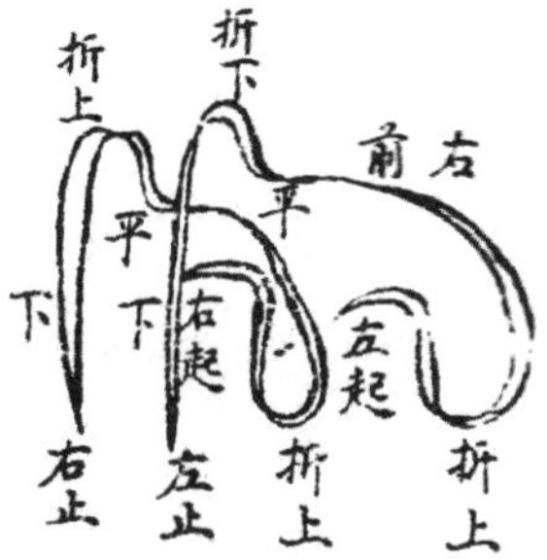

单鞭（1）

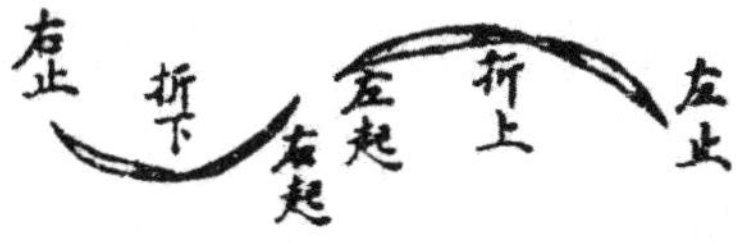

单鞭（2）

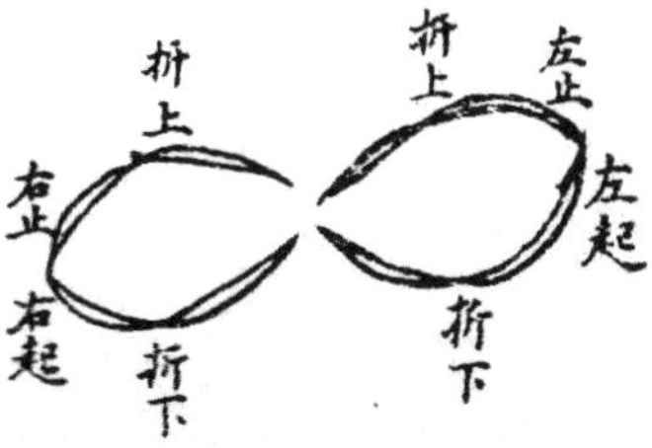

云手（1）

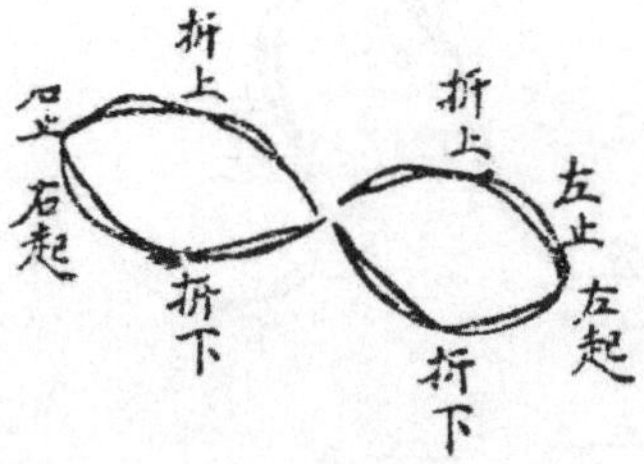

云手 (2)

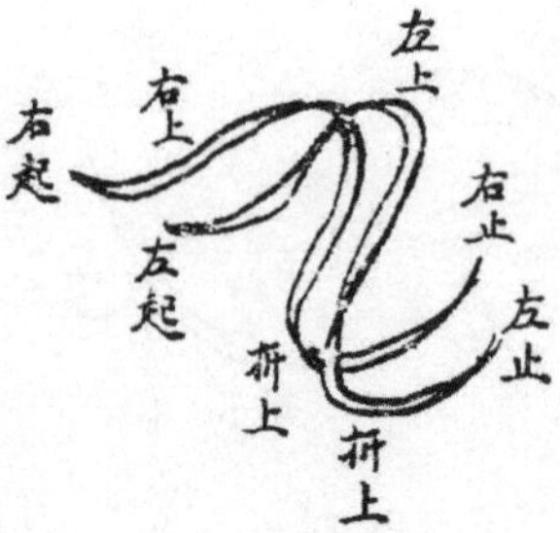

高探马

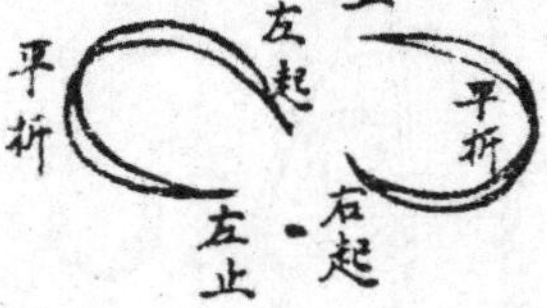

右侧脚 (1)

右侧脚 (2)

左侧脚 (1)

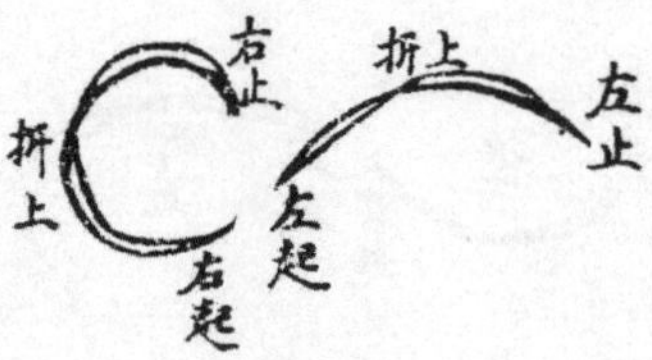

左侧脚 (2)

怀中抱月

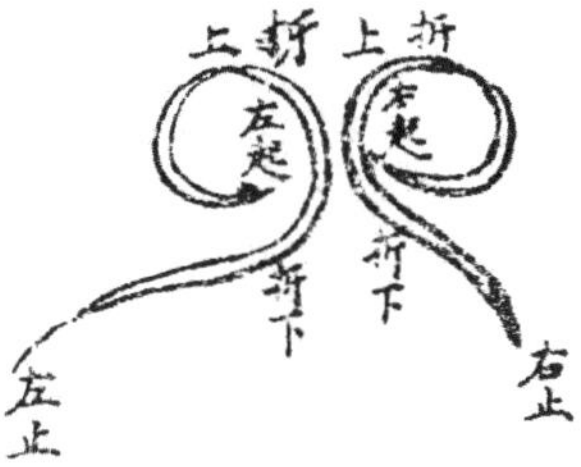

蹬根

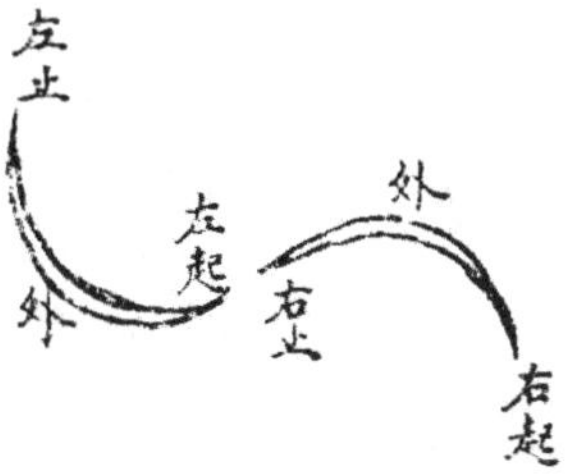

青龙击水（1）

青龙击水（2）

二起（1）

二起（2）

抱膝

踢一脚

蹬一根

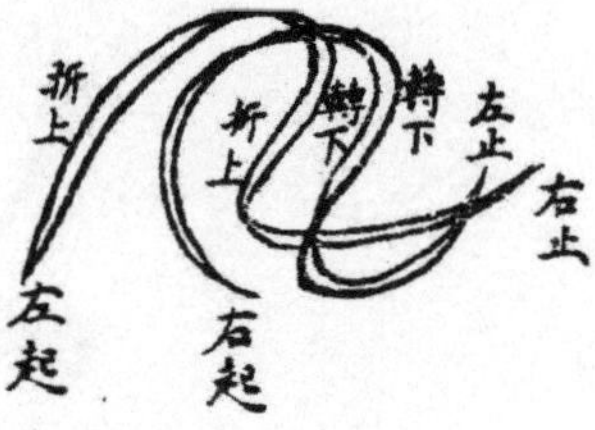

掩手捶

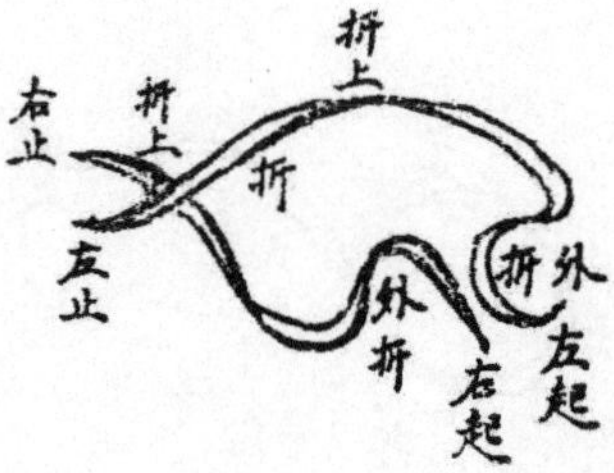

抱头推山

单鞭

前照

后照

勒马势

野马分鬃（1）

野马分鬃（2）

探马势

玉女蹿梭

背折靠

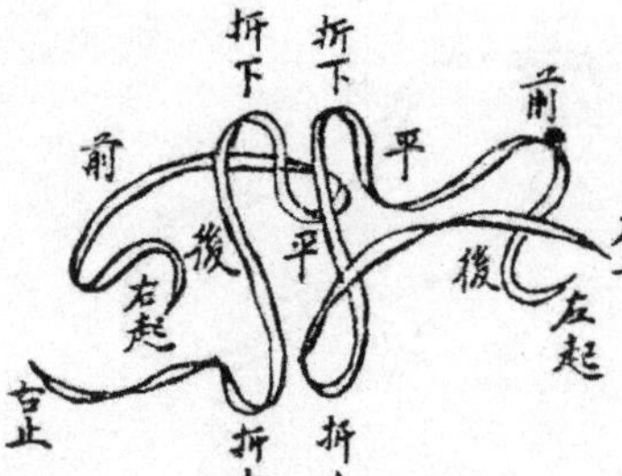

单鞭

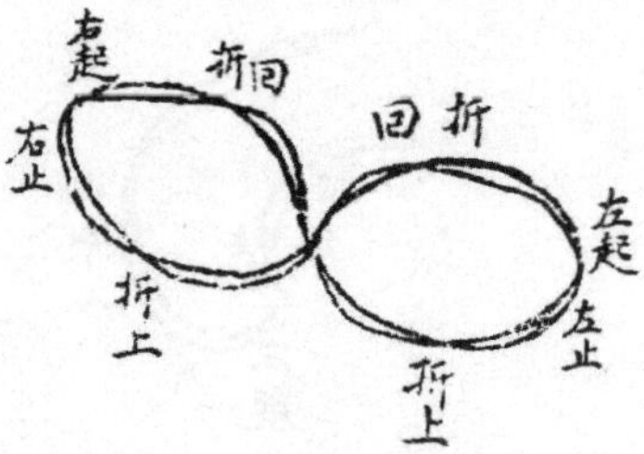

云手

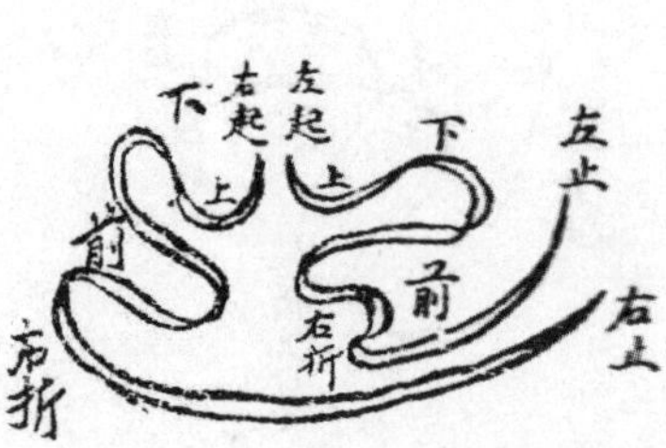

跌叉

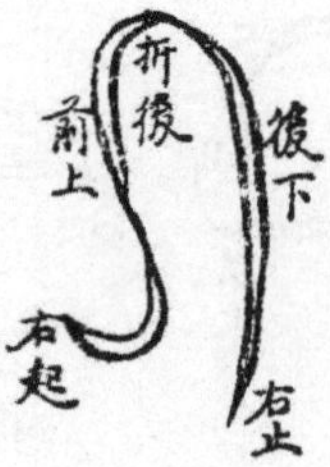

更鸡独立

朝天镫

倒卷肱

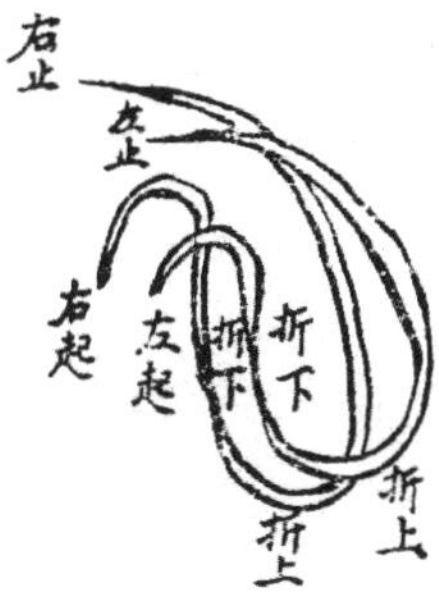

白鹅亮翅

搂膝拗步（1）

搂膝拗步（2）

闪通背（1）

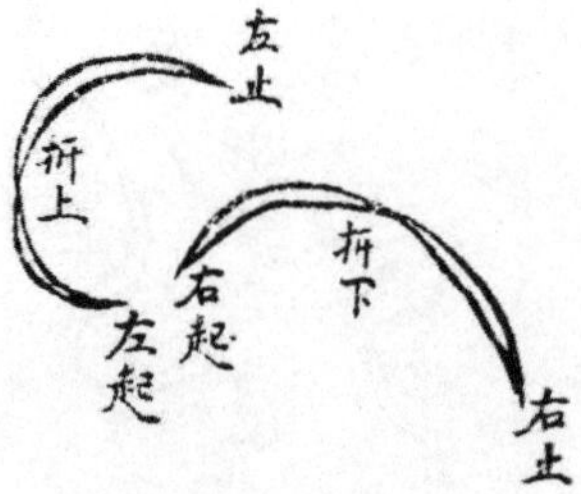

闪通背（2）

闪通背（3）

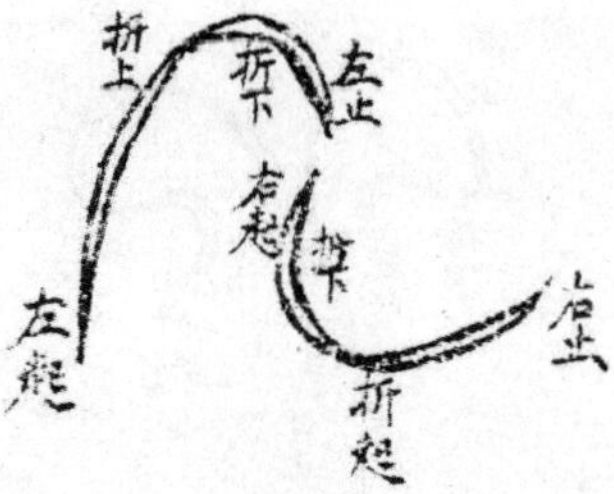

闪通背（4）

闪通背（5）

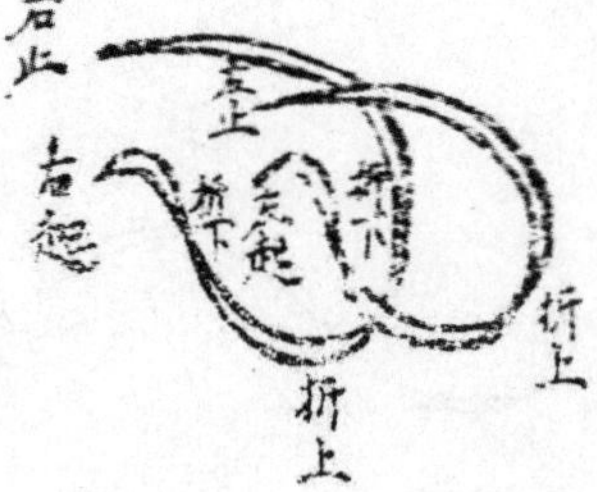

单鞭（1）

单鞭（2）

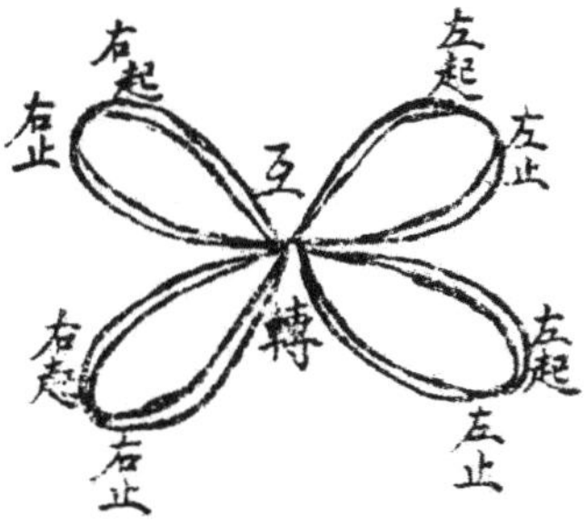

云手

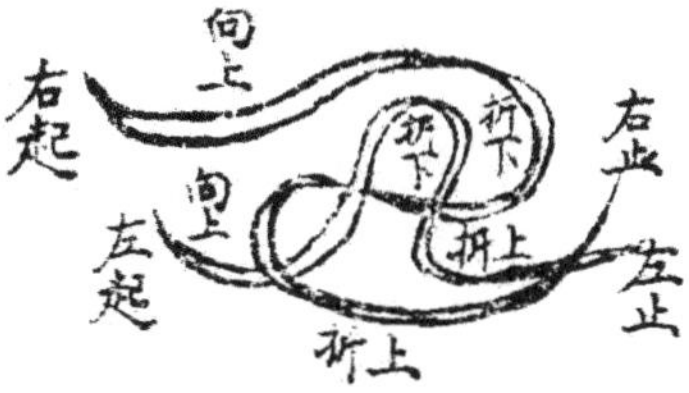

变高探马

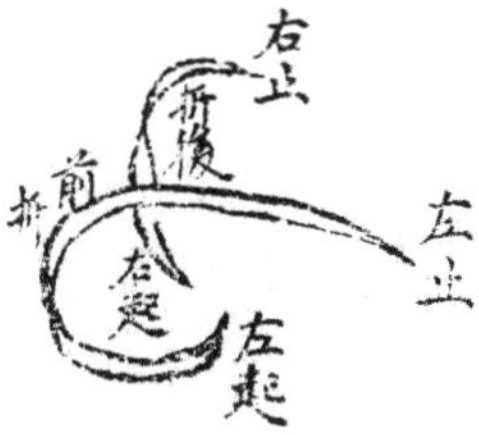

十字脚

单摆脚

指裆捶

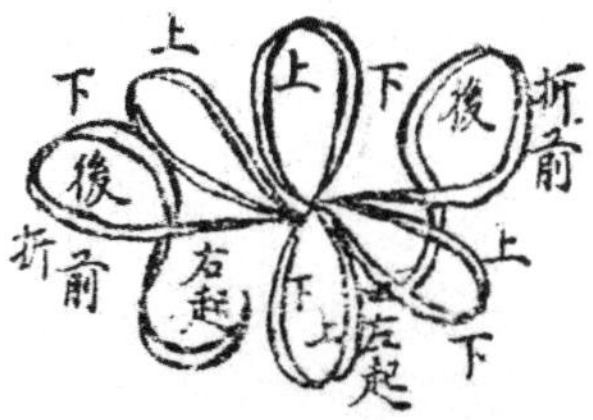

金刚捣碓

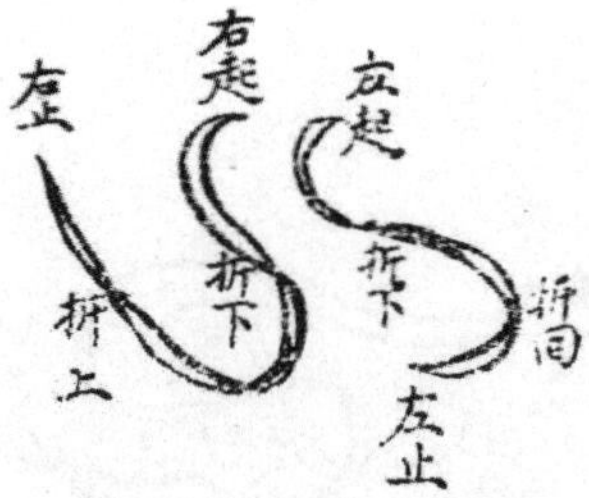

懒擦衣

铺地锦

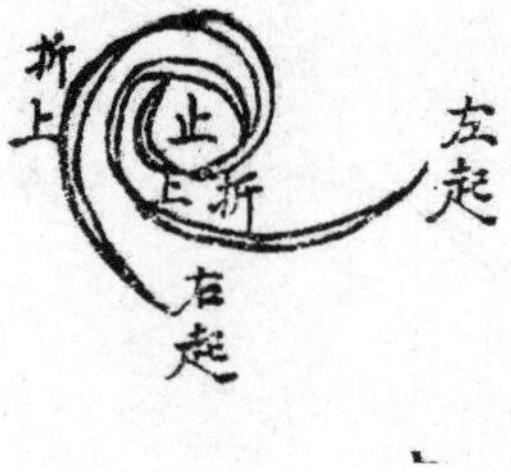

挽七星

回头探花（1）

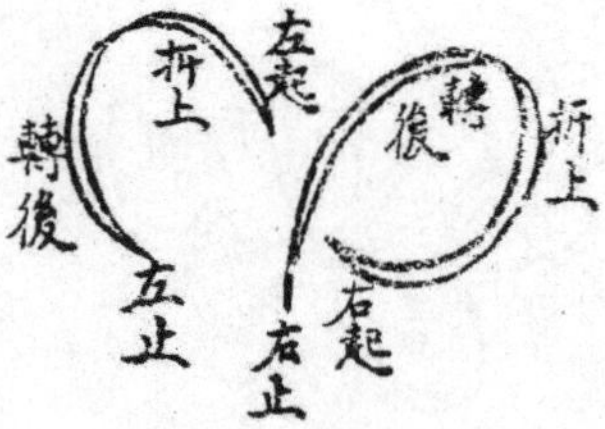

回头探花（2）

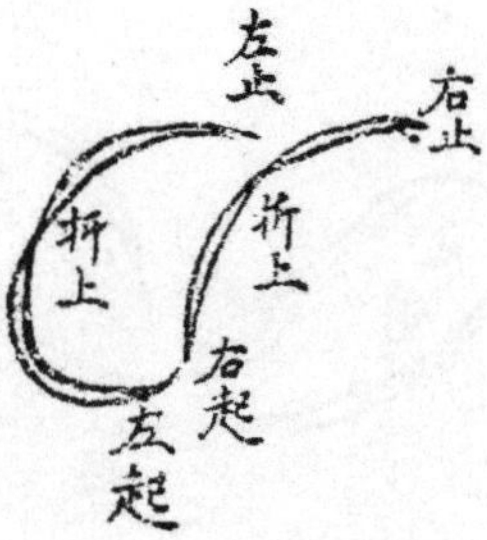

折花闻香

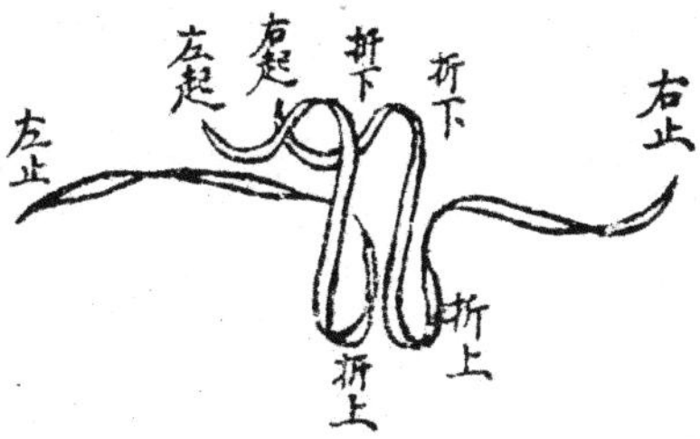

单鞭

铺地锦

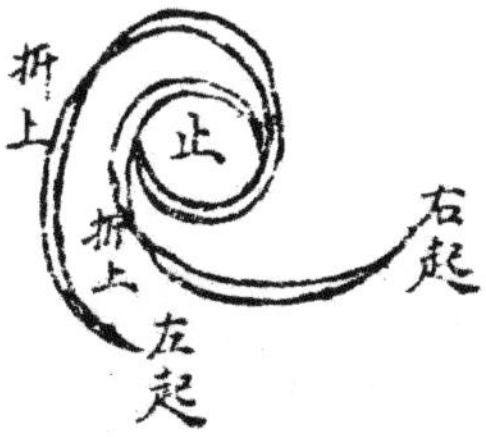

上步七星

卸步掩弧

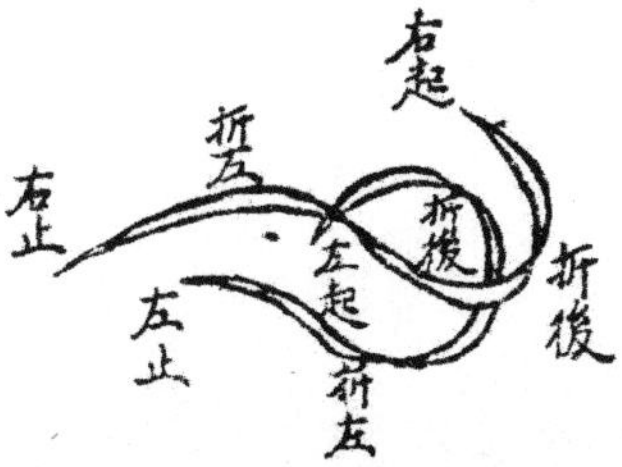

双摆脚

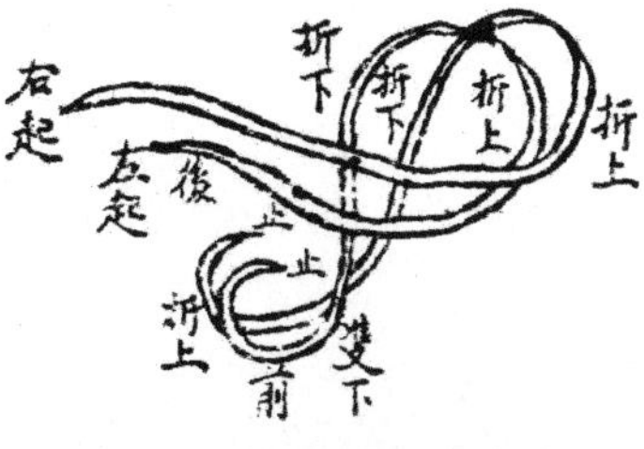

当头炮

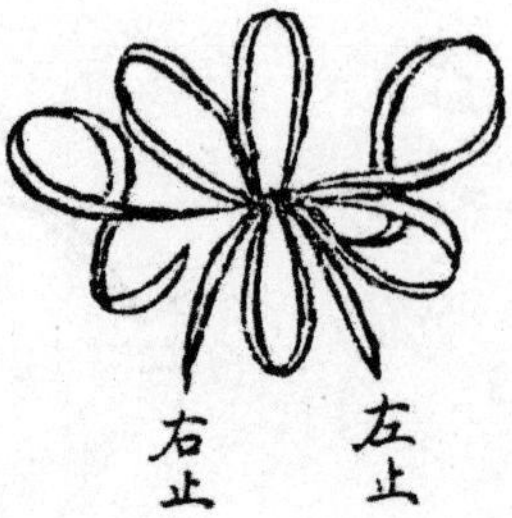

还原

太极拳启蒙练法四则

（一）动作

上下、前后、左右、往来为动作。

（二）变化

自无而有、自有而无为变化。

（三）姿势

动作变化摆成架势为姿势。

（四）方向

立定位置不复挪移为方向。

此层名联，即太极拳之本体，其后七层方归诸用。每层之用，载在总图歌内，可谓“一层深一层，层深无底；一层密一层，层密无缝”。现在欲按层集成卷册，尽述所学，付之印刷，供献当世，惟望海内同志有能切指其疵、切指其谬，以补余述之不逮，方称尽美，诚余之所厚幸也，又余之所厚望也。学斯层者要注意于此四则。此四则练成一律，而后才能渐进于“一圆即太极”，以归诸用，故特为志之。

联 即无极

金刚捣碓

总解

开始站时如齐，必须两脚宽窄与两膀相等，尤须中正，不偏不倚。稳如山固，立如杆直，左脚不动，其距离以右脚规定之。至于两手，从两大腿外，微向后侧面　去，虎口朝前，　齐合丁两大腿之前侧面。其动作要直、要顺、要合、要大小节俱活，要切忌不犯撇停流水为上、为贵，方为合格。其要旨，以敬静为主。

姿势

开始姿势，从头数到脚，是取本体上下顺序之意。

一头：头宜直竖。

二眼：眼宜平视。

三身：身宜端庄。

四膀：膀宜松平。

五肘：肘宜微曲。

六手：两手下垂，虎口朝前。

七胯：两胯为天机，贵于松活。

八膝：两膝微曲，俱向里扣。

九脚：两脚朝前顺正，脚趾抓地，脚后跟踏紧。

方向：向南直立。

动作（1）

要旨：两手顺腿上至心平，合于胸前，与心口齐。

注解："两手顺腿上至心平"，两手指展开，顺腿外向前抬起，虎口朝上，举至心齐；"合于胸前"，双手朝前往里合，手臂朝上；"与心口齐"，两手向里合，至手指结住，令当中成一空圆形，切勿照图所画之图贴在身上。

变化

姿势

动作姿势，从手脚并说，是取本体往来致用之意。

一手：两手臂朝上合与心齐，结成空圆形。

二肘：两肘平曲，合于胸前。

三膀：两膀平松，勿架。

四头：头仍直竖。

五眼：眼仍平视。

六身：身勿前俯。

七脚：脚仍朝前，左右踏齐。

八膝：膝仍微曲。

九胯：胯略向下蹲。

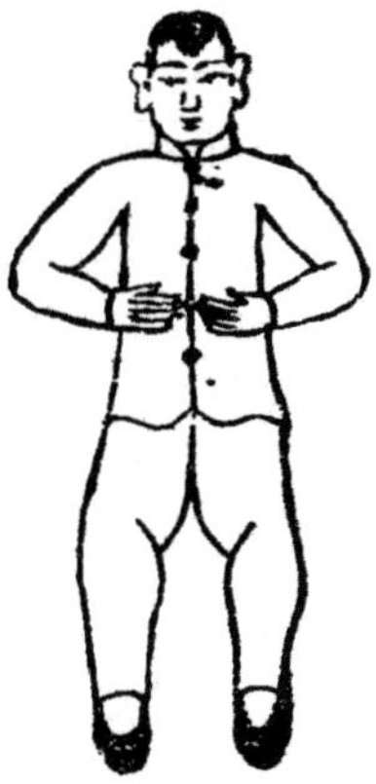

方向：面向正南。

动作（2）

要旨：动左手，上左脚，右手亦随之动。

注解："动左手，上左脚"，左手向右往上抬起，左脚亦抬起，左手、左脚顺左斜下展开；"右手亦随之动"，左手掌朝下，右手掌朝里，右膝攻起，左膝展直，脚尖跷起。

变化

姿势

一手：左手向左，下至左膝外；右手向右，上至眼齐。

二肘：右肘曲，左肘微曲。

三膀：左膀下松，右膀上松。

四头：头微向右侧。

五眼：神注右手梢。

六身：身桩向右侧，上下斜照。

七脚：左脚向左斜蹬去，脚尖跷起，右脚不动。

八膝：左伸右曲。

九胯：两胯下坐，左虚右实。

方向：面向西南。

动作（3）

要旨：动右手，上右脚，左手亦随之动。

注解：“动右手，上右脚”，右手往右上起，下到右膝时，右手、右脚一齐往前上；“左手亦随之动”，左手动，左脚不动，要用意教他暗动，以后如此势很多，俱要暗动。

变化

姿势

一手：右手往右下向前去，至右大腿外，左手从左下方上，起至胸前。

二肘：左肘曲，右肘微曲。

三膀：左膀平松，右膀下松。

四头：移向正前。

五眼：神注左手梢。

六身：身桩直竖。

七脚：两脚移向正前。

八膝：双膝微曲。

九胯：两胯略蹲。

方向：面向正南。

动作（4）

要旨：两脚站齐，同时右手举起，右脚抬起，左手落下，双手合于胸前。

注解："两脚站齐，同时右手举起，右脚抬起，左手落下"，右手、右脚抬起时，右手握拳，前冲上起，左手从上下降；"双手合于胸前"，右手下落，左手上就，一齐向心前合住。

变化

姿势

一手：双手合于心口，右手握拳，左手抱拢。

二肘：两肘皆曲、下沉，成平面空圆形。

三膀：两膀平松。

四头：直竖，颔向上微仰。

五眼：神注两手。

七脚：两脚与身相等，俱顺朝前。

八膝：两膝微曲，小腿竖直。

九胯：两胯微蹲，俱向里合。

方向：面向正南。

懒擦衣

动作

要旨：先卸左手、左脚，再上右手、右脚。

注解："先卸左手、左脚"，左手顺势朝下往左去，手臂朝前，右手随之，左手至膝外，右手至裆中，左脚亦顺手往左去，左膝攻起；"再上右手、右脚"，右手向上往右去，手掌朝前、微侧，右膀平松，肘微曲，右脚亦随手往右去，右膝攻起，左膝展开，左脚不动，左手回至左肋，置于其中。

变化

姿势

一手：右手梢与眼角齐，左手置于左肋间。

二肘：左肘曲，右肘微曲。

三膀：右膀前松，左膀向里下松。

四头：微向右侧。

五眼：神注右手梢。

六身：向右方扶直。

七脚：两脚俱向右斜。

八膝：右膝曲住，左膝伸直。

九胯：右胯坐下，左胯压下。

方向：面向正南。

单鞭

动作（1）

要旨：两手往前合，左脚前跟，脚掌点地。

注解：“两手往前合”，两手就上势朝前去，往上转下，往外向左去，复从左往上往里向右去，两手合于右上方；“左脚前跟，脚掌点地”，左手往右去时，左脚随之往右去，至右方，脚掌点地，以助右方之不及，是实中带虚。

变化

姿势

一手：两手左回右上，右手上与眼角齐，左手微低。

二肘：左回右上，两肘俱曲。

三膀：左回两膀下松，右上两膀前松。

四头：微向右侧。

五眼：左回右上，神注两手梢。

六身：上下扶照，微向右侧。

七脚：左回右脚跟着地，右上左脚掌着地。

八膝：两膝微曲。

九胯：两胯微向下蹲。

方向：面向南方。

动作（2）

要旨：两手往右下合，身往下蹲，至大腿平与膝齐。

注解：“两手往右下合”，两手从右方下至膝齐，左手在右膝里，右手在右膝外，两相合住；“身往下蹲”，胯与膝齐，向下曲，以大腿平为度；“至大腿平与膝齐”，身蹲至大腿平，令手与膝齐，左虚脚踏实。

变化

姿势

一手：双手下至膝齐。

二肘：两肘微曲。

三膀：左右膀下松，皆向里合。

四头：微向右侧。

五眼：神注两手梢。

六身：身往下蹲，将桩扶正。

七脚：两脚俱朝右侧，左脚落实，右脚移向前。

八膝：膝曲至大腿平，膝盖前攻。

九胯：两胯下蹲，勿蹲过膝下。

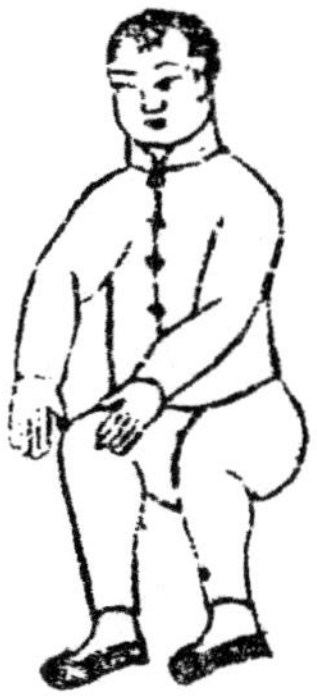

方向：面向南方。

动作（3）

要旨：两手上去，上至膀齐，分开，左手向上，左展，右手向下，右展，双肘微曲。

注解：“两手上去，上至膀齐”，两手往上去，身桩往下就；“分开，左手向上，左展，右手向下，右展”，左手从面前往上，向左展开，右手从右方往下，向右展开；“双肘微曲”，左手上跷，右手下按，全在曲肘聚气。

变化

姿势

一手：两手上至右膀齐，左手上跷，右手下按，拉开右手成撑。

二肘：两肘微曲。

三膀：两膀松开。

四头：微向左侧。

五眼：神注左手梢。

六身：身桩沉于左方，注意竖直。

七脚：两脚俱朝左侧。

八膝：左膝曲，右膝展。

九胯：左胯下坐，右胯下沉。

方向：面向正南。

变金刚捣碓

动作（1）

要旨：就上式，左右手往上往后，复往前合，两脚随之。

注解："左右手往上往后"，左右手向上往后折，手掌朝上；"复往前合"，左右手乘后折即向上往前去，手臂朝上；"两脚随之"，左右手朝后折，两脚向外移，左右往前去，两脚向里回，务要双脚跟踏实。

变化

姿势

一手：左右手后折，手掌朝上，前合，手臂朝上。

二肘：右肘曲，左肘微曲。

三膀：两膀前松。

四头：微向左侧。

五眼：神注两手梢。

六身：向右侧微沉，桩要竖直。

七脚：两脚随身先外移，后里回，脚跟踏实。

八膝：右膝曲，左膝伸。

九胯：两胯下坠。

方向：面向正南。

动作（2）

要旨：右手上去，左手下去，左脚斜蹬，再右手下去，左手上去，右脚前上。

注解："右手上去"，右手往右上方去，手掌侧向里；"左手下去"，左手往左下方去，手掌侧朝里；"左脚斜蹬"，左脚向左方插斜蹬去；"再右手下去"，右手下至腿外；"左手上去"，上至胸前；"右脚前上"，上至宽窄与身相等。

变化

姿势

一手：右手下至大腿外，左手上至心口齐。

二肘：左肘曲，右肘微曲。

三膀：左膀平松，右膀下松。

四头：向前直竖。

五眼：神注左手梢。

六身：卓然直立，不俯不仰。

七脚：两脚并齐，其距离与身宽窄相等。

八膝：双膝微曲。

九胯：两胯微下蹲。

方向：面向正南。

动作（3）

要旨：由两脚站齐，右手右脚同时举起，右手上起，左手下落，左手抱右手，合于胸前。

注解："右手右脚同时举起"，右手沿路握拳；"右手上起，左手下落"，右手由外上起，左手由里下落；"左手抱右手，合于胸前"，左手从外上就，右手从里下降，一气合住。

变化

姿势

一手：两手合于心口，右拳、左掌，中空外实。

二肘：两肘皆曲。

三膀：两膀前松，左右相停。

四头：竖直，颔向上，微仰。

五眼：神注两手，向前平视。

六身：身桩直竖。

七脚：顺直朝前，脚趾与脚掌用力。

八膝：两膝前攻带曲，同往里合。

九胯：两胯略向下蹲，亦向里合。

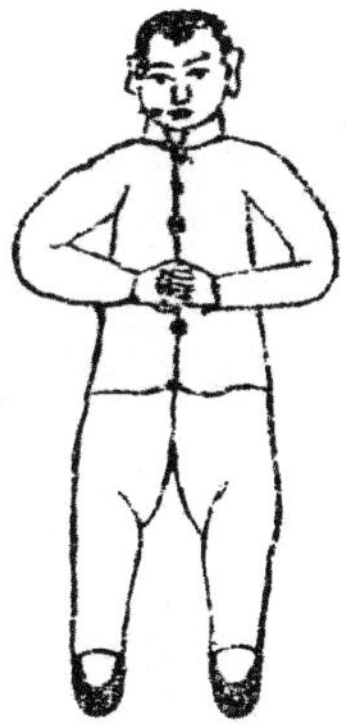

方向：面向正南。

白鹅亮翅

动作

要旨：卸左手、左脚，跟右手、右脚，右脚掌点地；上右手、右脚，跟左手、左脚，左脚掌点地。

注解：“卸左手、左脚”，均往下向左去；“跟右手、右脚”，均随左手、左脚向左下；“右脚掌点地”，实中藏虚；“上右手、右脚”，均向上往右去；“跟左手、左脚”，均随右手右脚往右上，至右手与眼角齐，左手微低，合于右上方；“左脚掌点地”，以虚助实。

变化

姿势

一手：两手左下，左手在左膝外，右手置裆中；两手右上，右手与眼角齐，左手微低。

二肘：左下右上，两肘俱曲。

三膀：左右各松。

四头：左下左侧，右上右侧，皆宜竖直。

五眼：神注右手梢。

六身：左下右上，皆要扶直。

七脚：左下右虚，右上左虚。

八膝：左下双膝俱曲，右上双膝微曲。

九胯：左下坐，右上伸。

方向：面向正东。

搂膝拗步

动作（1）

要旨：两手分开，顺右膝按下，至右大腿平，掌与膝齐；左足跟蹬至左方，右胯坐实。

注解："两手分开"，由上左右分；"顺右膝按下，至大腿平"，由分而合，按至掌与膝齐，左手压于右手之上，均在膝际；"左脚跟蹬至左方"，左脚趾微向左侧，身向下蹲；"右胯坐实"，支持全身。

变化

姿势

一手：两手分开，下按成交叉势，手臂朝上。

二肘：右肘曲，左肘微曲。

三膀：两膀下松。

四头：头直，微下俯。

五眼：神注右方两手梢。

六身：身桩竖直。

七脚：右脚踏实，左脚虚承，趾略上跷。

八膝：右膝曲住，左膝伸直。

九胯：右胯坐实，左胯虚含。

方向：面向正东。

动作（2）

要旨：双手横分，右膝展开，左膝曲住，同时左右手均拉至左右膝外，左手往后，右手来前。

注解："双手横分"，左手往左去，右手往右去；"右膝展开，左膝曲住"，是与手同时蛋到左方；"左右手均拉至左右膝外"，左手随左走，右手随右走；"左手往后，右手来前"，左手顺膝搂至背后，右手顺膝上起，转到面前。

变化

姿势

一手：右手在前，遥与鼻准相照，左手伏后，近给脊骨相对。

二肘：右肘前曲，左肘后曲。

三膀：右膀勿往前贪，左膀勿向后掰。

四头：直立，不俯不仰。

五眼：神注右手梢。

六身：身桩站正勿扭。

七脚：左脚向左斜，右脚随之。

八膝：左膝攻足，右膝绷展。

九胯：两胯下坐。

方向：面向正东。

动作（3）

要旨：右手、右脚往后卸半步，左手、左脚向回提半步，脚掌点地。

注解：“右手、右脚往后卸半步”，右手、右脚往外向下朝裆中卸回，往后踏半步；“左手、左脚向回提半步”，左手、左脚朝里向上照左方往回提半步；“脚掌点地”，虚中含实。

变化

姿势

一手：右手卸至右肋间，左手提到左膝上。

二肘：两肘皆曲，左手离膝高，右手离肋近。

三膀：左膀平松，右膀下松。

四头：微向左侧。

五眼：神注左手梢。

六身：身桩上下斜照。

七脚：虚与实顺。

八膝：右膝实曲，左膝虚曲。

九胯：右胯坐实，左胯虚提。

方向：面向东南。

动作（4）

要旨：偏左上左手、左脚，跟右手、右脚，右脚稍后，左脚稍前。

注解：“偏左上左手、左脚”，左手、左脚向左斜上；“跟右手、右脚”，右手、右脚随左边亦向左斜上，左手下落左腿外，右手上至右眼齐；“右脚稍后，左脚稍前”，两脚前后并立。

变化

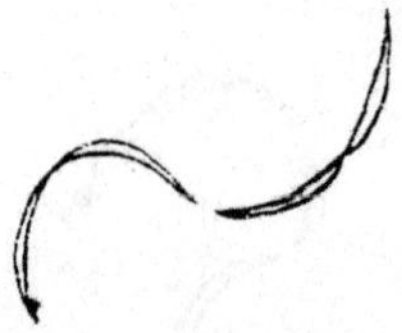

姿势

一手：左手贴左腿外，右手置右眼前。

二肘：右肘曲，左肘微曲。

三膀：右膀前松，左膀下松。

四头：微向左侧。

五眼：神注右手梢。

六身：身桩斜直，上下相照。

七脚：左脚在前，右脚跟至左脚一半中。

八膝：两膝微曲。

九胯：两胯略往下蹲。

方向：面向东南。

斜行拗步

动作（1）

要旨：双手分开，交叉按下，左脚斜蹬横分，左蹬右曲，左曲右展，同时，两手均斜拉至两膝外，左手斜向后，右手斜向前。

注解：“双手分开，交叉按下”，双手从上分开，左手在上，右手在下，交叉合住，按于右膝上；“左脚斜蹬横分，左蹬右曲，左曲右展”，先左脚蹬开、右膝曲住，右膝展开、左膝曲住；“同时，两手均斜拉至两膝外”，左手随左斜去，右手随右斜去；“左手斜向后，右手斜向前”，左手顺膝斜搂至背后，右手顺膝斜上至面前。

变化

姿势

一手：右手在前，斜与鼻准照；左手在后，斜与脊骨照。

二肘：右肘在前斜曲，左手在后斜应。

三膀：左右膀前后松开。

四头：斜直勿扭。

五眼：神斜注右手梢。

六身：身桩斜直，上下斜照。

七脚：左脚斜，右脚随之。

八膝：左膝斜攻，右膝斜展。

九胯：两胯斜坐实。

方向：面向东南。

动作（2）

要旨：右手、右脚往右卸，卸至左脚跟之侧；左手、左脚向前提，提至右脚前左侧，左脚掌点地。

注解："右手、右脚往右卸，卸至左脚跟之侧"，卸时往外向下，变为照左脚跟卸，卸至左脚之侧稍后；"左手、左脚向前提，提至右脚前左侧"，提时向里往前，变为照右脚前提，提至右脚前左侧；"脚掌点地"，虚左以待。

变化

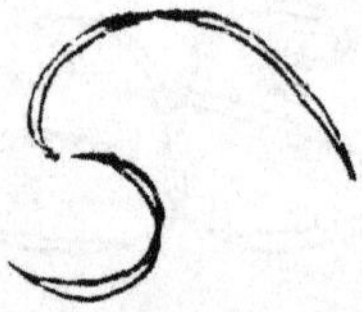

姿势

一手：右手斜卸右肋间，左手斜提左膝外。

二肘：右肘曲，左肘微曲。

三膀：左膀前松，右膀下松。

四头：微向右侧。

五眼：神注左手梢。

六身：身桩变正，微向左斜。

七脚：右脚顺正，左脚掌虚点。

八膝：双膝皆曲，微向左侧。

九胯：两胯下蹲。

方向：面微向西南。

动作（3）

要旨：左手、左脚偏左往前上，右手、右脚连住随之，亦偏左往前上。

注解：“左手、左脚偏左往前上”，左手臂朝上，偏左前上，左脚亦随之偏左前上；“右手、右脚连住随之，亦偏左往前上”，右手掌朝上，指朝前，偏左前戳，右脚亦随之，偏左往前上。

变化

姿势

一手：左手臂朝上外下，右手掌朝上平戳。

二肘：左肘曲，右肘微曲。

三膀：左膀下松，右膀前松。

四头：微向左侧。

五眼：神注右手指头。

六身：向左侧斜直。

七脚：先上左脚，后上右脚，均偏左上。

八膝：左膝展，右膝微曲。

九胯：两胯左外松前上，右里松前上。

方向：面向东南。

建前堂

动作

要旨：先左手向里往前合，左脚随之；次右手向里往前合，右脚随之。

注解："先左手向里往前合"，左手由左往下、往后、往上朝前合；"左脚随之"，左脚从左由外往上朝前踏；"次右手向里往前合"，右手由右往下往后往上朝前合；"右脚随之"，右脚从右往外往上朝前踏，至左脚齐，右手握拳，左手环抱。

变化

姿势

一手：先左手，次右手，合于胸前，左掌右拳。

二肘：左右肘皆平曲。

三膀：两膀向前平松。

四头：直立勿俯。

五眼：神注两手，向前平视。

六身：身桩端正，不俯不仰。

七脚：先上左脚，立定不动；次上右脚，比齐。

八膝：双膝微曲。

九胯：两胯微往下蹲。

方向：面向正南。

披身捶

动作

要旨：双手向外下至膝，复顺膝握拳转上，复下至膝，双膝皆曲，顺膝披开，左膝展，右膝曲，左捶置腰间，右捶置耳门关中。

注解："双手向外下至膝"，变掌转下；"复顺膝握拳转上"，变掌为拳，上至心口；"复下至膝"，双捶皆手臂朝前；"双膝皆曲"，成骑马势；"顺膝披开"，双拳向左右分；"左膝展，右膝曲"，身随斜向右方；"左捶置腰间"，左捶由前向下往回卷；"右捶置耳门关中"，右捶由后向上往前卷，眼顾左脚尖。

变化

姿势

一手：双手变掌下去，复变捶上来，复下披开，左捶置腰间，右捶置耳门关中。

二肘：两肘皆曲，俱手臂朝前。

三膀：两膀左亢右卑。

四头：一直斜顺。

五眼：神注左脚尖。

六身：身桩斜直，勿弯。

七脚：两脚俱朝右斜。

八膝：右膝曲，左膝绷展。

九胯：右胯下坐，左胯斜展。

方向：面向正南。

合手

动作

要旨：上身设正，两捶分开，往前合于胸前，脚亦里合。

注解："上身设正，两捶分开"，上身从右设起，设到正中，同时两捶往上向下至两胯齐；"往前合于胸前"，两捶从胯往前去，右仍拳，左变成掌，合于胸前；"脚亦里合"，脚随手移正，亦合于前。

变化

姿势

一手：两手合与心齐，右手仍拳，左拳变掌，如鞠躬致敬。

二肘：左右肘平曲。

三膀：两膀前松。

四头：头竖端正。

五眼：向前平视，神注两手。

六身：身桩扶正。

七脚：两脚移正朝前，俱向里合。

八膝：左右膝皆曲，向里合。

九胯：两胯坐实，亦向里合。

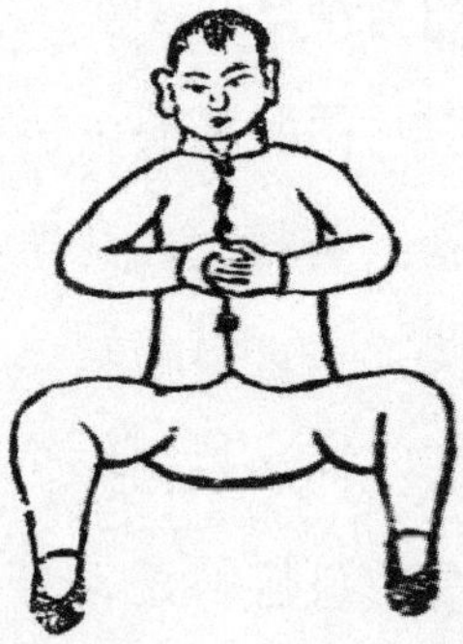

方向：面向正南。

出手

动作

要旨：分开往右，上右捶右脚，左手亦变成捶，与左脚紧跟，脚右实左虚。

注解："分开往右，上右捶右脚"，右捶微向下向左上起，同脚一齐右上；"左手变成捶，与左脚紧跟"，左手变成捶，与左脚随右捶右脚，一气往右上；"脚右实左虚"，以助之。

变化

姿势

一手：两手握拳，俱虎口朝上，往右上，遥与心对。

二肘：左右肘皆曲，皆偏向右。

三膀：两膀平松下沉。

四头：略向右侧。

五眼：神注右拳头。

六身：身桩直立，沉于右边。

七脚：右脚踏实，左脚虚悬，脚掌下吃以助之。

八膝：两膝俱曲。

九胯：左胯跟右胯，一是坐下。

方向：面向南方。

肘底看拳

动作（1）

要旨：双拳双脚转往左去，右拳置于左肘之下，左脚掌点地。

注解：“双拳双脚转往左去”，去时左拳向上往左转，转至左方，左拳竖起；“右拳置于左肘之下”，右拳平旋至左方，收到肘底，以备下压前上；“左脚掌点地”，左脚从右抬起，转向左方，同时右脚就本地亦转朝左方，左脚方落地。

变化

姿势

一手：左竖之拳，与鼻准照；右平之拳，与肘底照。

二肘：左肘曲竖，右肘曲平。

三膀：左膀平松，右膀下松。

四头：直竖。

五眼：神注左拳头。

六身：身向左侧直立。

七脚：右脚平踏，左脚掌着地，以虚待实。

八膝：双膝俱曲。

九胯：右胯坐实，左胯虚含。

方向：面向正东。

动作（2）

要旨：即偏左上左拳、左脚，再偏右上右拳、右脚，右拳上时变成掌。

注解：“即偏左上左拳、左脚”，用左拳偏左上去、下压，右拳朝右后拉；“再偏右上右拳、右脚，右拳上时变成掌”，用右掌偏右上，右脚跟上去，使手臂按下，左手回搂。

变化

姿势

一手：左拳用臂下压，右拳变掌下按。

二肘：左肘向前下压，右肘朝后抽回。

三膀：左膀下松，右膀前松。

四头：微下俯。

五眼：左上神注左拳，右上神注右拳。

六身：身桩竖直，勿向前弯。

七脚：左右脚皆五趾先着地。

八膝：左上左曲，右上右曲。

九胯：两胯互相坐。

方向：面向东北。

倒卷肱

动作（1）

要旨：卸右手，右手倒往回卷；卸右脚，右脚倒往回踏。

注解："卸右手，右手倒往回卷"，右手掌向后朝上往前按，按至裆中；"卸右脚，右脚倒往回踏"，右脚朝里过裆，往后向右回踏，脚尖先着地，规定其数四，左右各二，为正式。

变化

姿势

一手：右手向右朝后倒卷往前按，掌心向下。

二肘：右肘曲，下按到裆微伸。

三膀：右膀向外往后，朝里来前，俱松。

四头：向右微俯。

五眼：神注右手梢。

六身：身桩微向右俯，腰不宜弯。

七脚：左脚平踏，右脚落时五趾抓地。

八膝：左曲右伸。

九胯：左坐右松。

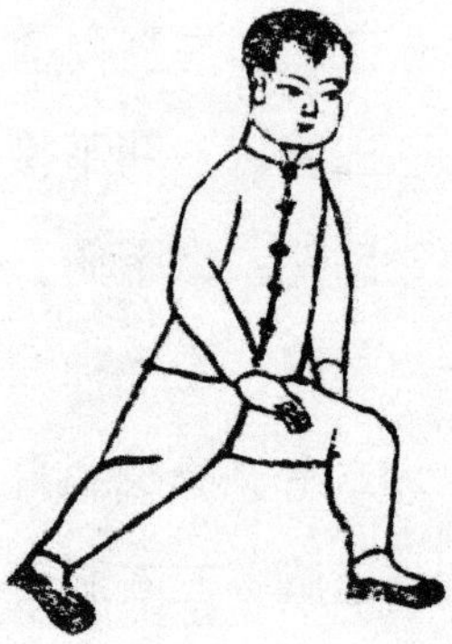

方向：面微向东南。

动作（2）

要旨：卸左手，倒往回卷，手按至裆中，卸左脚，由裆过后，仍倒往前踏，其数虽四，却不必拘，变着时，必从左手做了。

注解："卸左手，倒往回卷，手按至裆中"，左手掌向后朝上往前按；"卸左脚，由裆过后，仍倒往前踏"，左脚朝里过裆，往后折上，倒回左前方踏下，脚五趾先着地；"其数虽四，却不必拘"，若下工夫，不拘其数；"变着时，必从左手做了"，同右手齐往右上方提起。

变化

姿势

一手：左手朝后抬起，倒往前按，掌心向下。

二肘：左肘曲下按，微伸。

三膀：左膀后折回按，往来要松。

四头：向左微俯。

五眼：神注左手梢。

六身：身桩，腰不须弯，略向左斜，微俯。

七脚：右脚平踏，左脚倒落时五趾先抓地。

八膝：右曲左伸。

九胯：左胯坐实，右胯虚松。

方向：面微向东北。

白鹅亮翅

动作

要旨：由右提至左手高、右手低，一齐下至左方，双脚随之，右脚虚点，即从左下方，双手上至右上方合住，右高、左微低，双脚跟去，左脚虚点。

注解：“由右提至右手高、左手低，一齐下至左方”，两手左下，右手在裆中，左手在膝外；“双脚随之，右脚虚点”，以脚掌着地助之；“即从左下方，双手上至右上方合住，右高、左微低”，从左上至右上方时，右手在前斜，高与眼齐，左手在后斜，低与心齐；“双脚跟去”，左脚虚点，以助之。

变化

姿势

一手：两手左下，右手与裆齐，左手与膝齐；右上，右手与眼齐，左手与心齐。

二肘：左右肘交互相曲。

三膀：两膀轮流相松。

四头：左下左直，右上右直。

五眼：神注两手梢。

六身：左下，身桩自左扶直；右上，身桩自右扶直。

七脚：两脚互为虚实相助。

八膝：左下，双膝俱曲；右上，双膝微曲。

九胯：左下坐，右微伸。

方向：面向正东。

搂膝拗步

动作（1）

要旨：两手由上分开，交叉按于右膝上，左足横蹬至左方。

注解："两手由上分开，交叉按于右膝上"，两手起时，自上分，按时，至下合，皆顺右膝，掌心向下按去；"左脚横蹬至左方"，用脚跟朝地擦去，脚趾微向前斜。

变化

姿势

一手：两手分开，交叉按下，合于膝上。

二肘：左右下曲。

三膀：两膀向右前上松。

四头：向右侧，直竖微俯。

五眼：神注交叉两手梢。

六身：身桩直立，勿歪。

七脚：左脚横蹬、虚擦，右脚踏实、支撑。

八膝：右膝平曲，左膝伸直。

九胯：右胯坐足，左胯虚承。

方向：面向正东。

动作（2）

要旨：双手横分，至左右膝外，左膝曲，右膝伸，左手向后去，右手朝前来。

注解：“双手横分，至左右膝外”，右手拉短，左手拉长，两手短长相等，同时俱到；“左膝曲，右膝伸”，曲伸与手同动；“左手向后去，右手朝前来”，左手顺膝后搂至脊中，右手顺膝上转回鼻前。

变化

姿势

一手：右手与鼻准照，左手与脊骨照。

二肘：左肘后曲，右肘前曲。

三膀：两膀端正，勿扭。

四头：直立竖正。

五眼：神与右手指相应。

六身：身桩扶正。

七脚：左脚移向前斜踏，右脚随之。

八膝：左膝曲平，右膝伸直。

九胯：左胯下坐，右胯下压。

方向：面向正东。

闪通背

动作（1）

要旨：由搂膝往前进，上右手、右脚，跟左手、左脚，左脚跟提起。

注解：“由搂膝往前进，上右手、右脚”，右手、右脚从外向上往前进，上至膀平；“跟左手、左脚”，左手、左脚，从下向里朝右跟上，亦至膀平；“左脚跟提起”，左脚向右跟去，提至与右脚相近，脚趾与掌点地助之。

变化

姿势

一手：右手掌向前侧，左手指向下捏撑。

二肘：右肘微曲，左肘曲平。

三膀：左右膀平松。

四头：微向右侧，竖直。

五眼：神注右手梢。

六身：身桩竖直。

七脚：右脚朝前踏实，左脚跟虚提。

八膝：右膝曲，左膝亦曲。

九胯：右胯坐实，左胯虚提。

方向：面向正北。

动作（2）

要旨：卸左手、左脚，撤右手、右脚。

注解："卸左手、左脚"，左手、左脚向上起，往后向下，落至大腿平，左手与膝齐；"撤右手、右脚"，撤至右膝展直，至与地相近，右手在膝里。

变化

姿势

一手：左手落至左膝外，右手下至右膝里，左手臂朝前，右手掌朝前。

二肘：左肘曲，右肘微曲。

三膀：两膀下松。

四头：向右微侧。

五眼：神注右手梢。

六身：身桩竖直。

七脚：右脚跷起，左脚抓地。

八膝：左膝攻至大腿平，右膝展直。

九胯：左胯坐实，右胯虚压。

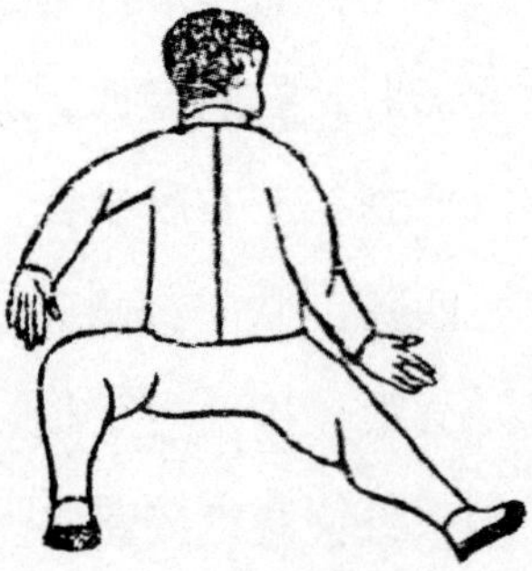

方向：面向正北。

动作（3）

要旨：上左手、左脚，右手、右脚随之。

注解：“上左手、左脚”，左手上，左脚跟去，左手自下前进上托，左脚自左由下前进踏地。“右手、右脚随之”，右手、右脚随左手、左脚亦从下由本地移转上托，转至面向前，脚由本地踏实，双膝左攻右微攻，成四六骑马裆。

变化

姿势

一手：两手由下往前上托，两掌朝里相合。

二肘：左肘曲，右肘微曲。

三膀：两膀上松。

四头：头直，微向上仰。

五眼：神注上方两手梢。

六身：身桩直竖。

七脚：左脚微向外侧，右脚仍顺。

八膝：右膝曲，左膝略伸。

九胯：左右胯俱向下蹲，偏重右边。

方向：面向正南。

动作（4）

要旨：朝后卸右手、右脚，左手、左脚随右边身往后下，铺下。

注解：“朝后卸右手、右脚”，右手与右脚由前向右往下，朝后转至右脚踏后；“左手、左脚随右边身往后下，铺下”，左脚不动，随右脚后卸时，就势一拧，铺下，左手随右手下，至右手在右膝外、左手在左膝里。

变化

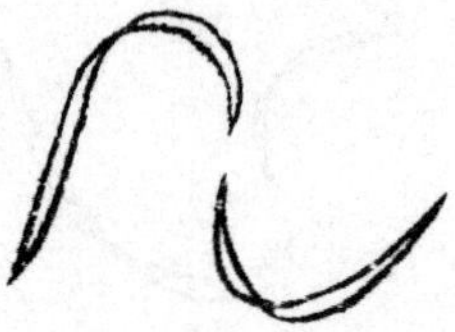

姿势

一手：左右手臂俱朝前向左斜。

二肘：右肘曲，左肘微曲。

三膀：左右膀俱向下松。

四头：略向左侧。

五眼：神注左手梢。

六身：身桩直立，勿倒。

七脚：双脚向里侧，左脚尖跷起。

八膝：右膝曲足，左膝展直。

九胯：左胯坐下，右胯虚提。

方向：面向正北。

动作（5）

要旨：右手、右脚向上往前推，合于右方，左手、左脚随之，成右攻势。

注解：“右手、右脚向上往前推，合于右方”，右手、右脚由下往上前进，朝右前推，同左手略向下合于右方；“左手、左脚随之”，左手、左脚由下往上朝右去，左手随右手略向下推，合于右方，左脚随右脚；“成右攻势”，右膝曲住，左膝展开。

变化

姿势

一手：两手合前右方，右手略向下，左手遥与心应。

二肘：左肘曲，右肘微曲。

三膀：两膀略向下松。

四头：头直，微向右侧。

五眼：神注右手梢。

六身：身桩竖直右沉。

七脚：两脚俱朝右侧。

八膝：右膝曲住，左膝展开，右攻左蹬。

九胯：右胯坐下，左胯压下。

方向：面向正南。

单鞭

动作（1）

要旨：双手从右上开下合，身往下蹲，下至大腿与膝平，两手置于右膝之里外。

注解：“双手从右上开下合”，双手就上分开，下至膝合住；“身往下蹲，下至大腿与膝平”，两膝下曲，身不须俯；“两手置于右膝里外”，左在里，右在外。

变化

姿势

一手：双手下至膝之左右，手臂朝外。

二肘：两肘皆曲，俱向里弯。

三膀：两膀俱往下松，均向里合。

四头：竖直，微向右侧。

五眼：神注右手梢。

六身：向右朝前竖直。

七脚：左虚脚踏实。

八膝：左右膝曲，至大腿平。

九胯：两胯下蹲，蹲至大腿平。

方向：面微向西南。

动作（2）

要旨：双手上至膀齐，左右分开，右膝展，左膝曲。

注解："双手上至膀齐"，身往下就，手往上起，与两膀平；"左右分开"，左手往左去成侧掌，掌缘向前，右手往下向右去，朝下捏成撑，手心向下；"右膝展，左膝曲"，右膝由本地左伸，左膝迈曲。

变化

姿势

一手：左手侧掌，掌心向里；右手捏撑，掌心向下。

二肘：两肘微曲。

三膀：两膀左右松。

四头：竖直，微向左侧。

五眼：神注左手梢。

六身：身桩扶正。

七脚：左脚迈至左方，与右脚皆顺，往左斜。

八膝：左膝曲，右膝伸。

九胯：左胯坐实，右胯压住。

方向：面向正南。

云手

动作（1）

要旨：左脚跟左手往左去，左脚迈宽，左手低，右手收回丹田。

注解：“左脚跟左手往左去”，从单鞭收回丹田，由丹田向上往左去；“左脚迈宽”，左脚迈一宽步向左去，步宽身低，手自然低，左手因步迈宽做成低身；“右手收回丹田”，左手向左出去，左手收回，右手必然出去，是左右互行法。

变化

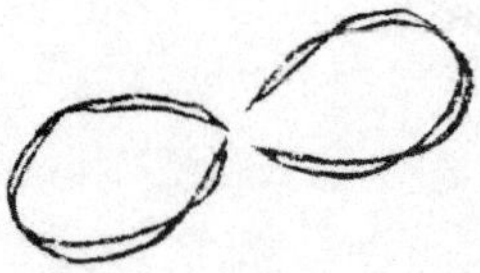

姿势

一手：左手由左肋回至丹田，往左去，成时指与眉齐；右手收回，与丹田相照。

二肘：右肘曲，左肘微曲。

三膀：两膀平松。

四头：微向左侧。

五眼：神注左手梢。

六身：偏左竖直。

七脚：左脚后跟虚，右脚踏实。

八膝：左膝攻起，右膝绷展。

九胯：左胯坐下，右胯压下。

方向：面向正南。

动作（2）

要旨：右脚跟右手往右去，收宽迈窄，右手高，左手收回丹田。

注解："右脚跟右手往右去"，由放撑收回丹田，由丹田向上往右去；"收宽迈窄"，右脚开窄步向右迈，步窄，身高，手自然高；"右手高"，因步迈窄做成高身；"左手收回丹田"，右手出去，左往右来，右往左来，亦是互行法。

变化

姿势

一手：右手由右肋往右去，指仍与眉齐，左手亦收与丹田相照。

二肘：左肘曲，右肘微曲。

三膀：两膀平松。

四头：微向右侧。

五眼：神注右手梢。

六身：偏右竖直。

七脚：右脚后跟虚，左脚踏实。

八膝：右膝微攻，左膝仍绷展。

九胯：右胯略下坐，左胯微压。

方向：面向正南。

高探马

动作

要旨：右手、右脚前上后卸，左手随之，复左手、左脚回提前下，右手随之，左脚跟虚提。

注解：“右手、右脚前上后卸，左手随之”，右手、右脚同向前去，朝右卸回，左手与之偕往；“复左手、左脚前下回提，右手随之”，左手、左脚朝右向下往上朝左提回，右手随之不离；“左脚跟虚提”，脚掌点地，以虚待实。

变化

姿势

一手：右手偏右，与鼻准照；左手偏左，与左膝照。

二肘：左右肘皆曲。

三膀：两膀下松。

四头：头竖直，略向左俯。

五眼：神注两手梢。

六身：身桩直立。

七脚：右脚朝前踏实，左脚掌点地。

八膝：左膝虚提，右膝实立。

九胯：右胯坐实，左胯虚提。

方向：面向东方。

右侧脚

动作（1）

要旨：上左手、左脚，再上右手、右脚，左手、左脚回卸，右手、右脚回提，右脚掌点地。

注解："上左手、左脚"，左手、左脚从下向上往前上；"再上右手、右脚"，右手、右脚从右向上往前上，上至左脚前；"左脚、左手回卸"，左脚往后卸半步，左手卸至左肋；"右手、右脚回提"，右脚往回提半步，右手提至心口；"右脚掌点地"，以虚待实。

变化

姿势

一手：右手提回心口，左手卸回肋际。

二肘：两肘皆曲。

三膀：左右膀下松。

四头：略向右侧。

五眼：神注右手梢。

六身：身桩竖直偏左。

七脚：左脚踏实，右脚虚提。

八膝：左膝平曲，右膝虚曲。

九胯：左胯坐实，右胯虚提。

方向：面微向东北。

动作（2）

要旨：右侧脚，用双手齐去打右脚，只用右手打住。

注解："右侧脚，用双手齐去打右脚"，从右下左往上往前去打；"只用右手打住"，右手从上向前展出打住，左手至上下落，止于胸前。

变化

姿势

一手：右手打脚面，左手留于心口。

二肘：左肘曲，右肘略曲。

三膀：两膀平松。

四头：头向右侧。

五眼：神注右脚尖。

六身：直立，忌前俯。

七脚：左脚踏实，右脚踢起。

八膝：右膝展直，左膝微曲。

九胯：左胯略往下蹲，右胯松和上起。

方向：面向东方。

左侧脚

动作（1）

要旨：上右手跟右脚，再上左手跟左脚，卸回右手右脚，即提左手左脚，左脚掌虚点。

注解："上右手跟右脚"，从右侧脚落地，右手从右往上前去，右脚亦随右手往前去；"上左手跟左脚"，左手从左往上往前去，左脚亦随左手往前去；"左脚掌虚点"，以备踢。

变化

姿势

一手：右手卸至右肋，左手提回心口。

二肘：两肘俱曲。

三膀：两膀平松。

四头：略向左侧。

五眼：神注左手梢。

六身：偏右竖直。

七脚：右脚掌踏实，左脚掌虚提。

八膝：右膝平曲，左膝虚提。

九胯：右胯实，左胯虚。

方向：面微向东南。

动作（2）

要旨：左侧脚用双手打左脚，左手打住，打毕，落于右脚之后，左手随之。

注解："左侧脚用双手打左脚"，两手从右向左去；"左手打住"，左手从上向前展出打之，右手蓄于胸前；"打毕，落于右脚之后，左手随之"，打毕，同时手与脚均就势向下往左去，随势落右脚后。

变化

姿势

一手：两手打左脚，左手打住，右手落于胸前，从下卸回。

二肘：右肘曲，左肘微曲。

三膀：两膀向前平松。

四头：直立，向左侧。

五眼：神注左脚尖。

六身：竖直，忌左歪。

七脚：左脚踢起，右脚踏紧地。

八膝：左膝展直，右膝微曲。

九胯：右胯略下蹲，左胯松活上起。

方向：面向东方。

抱月蹬根

动作（1）

要旨：双手回收合于心口，左脚就势提回左方，抬而不落。

注解："双手回收合于心口"，双手从打罢左侧脚，往下往左，两边分开，复由左向上收到心口；"左脚抬而不落"，由左侧脚向下往左收回，就势提起，虚悬蓄势。

变化

姿势

一手：双手左右收回，沿路握拳，至心口双手握成。

二肘：两肘俱曲。

三膀：左右膀平松。

四头：略向左侧。

五眼：神注双拳。

六身：身桩竖直，一脚独立，支住全身。

七脚：右脚踏实，脚尖朝前；左脚虚悬，脚掌着地。

八膝：右膝直竖，左膝上曲。

九胯：右胯微蹲，左胯虚提。

方向：面向正北。

动作（2）

要旨：趁上势左脚提起，朝左一蹬，全身外撕，双拳外展。

注解：“趁上势左脚提起，朝左一蹬”，用左脚后跟朝里蹬出；“全身外撕，双拳外展”，身拳都向左去，右边右拳、右脚坠住，右沉，以助之，不使牵动。

变化

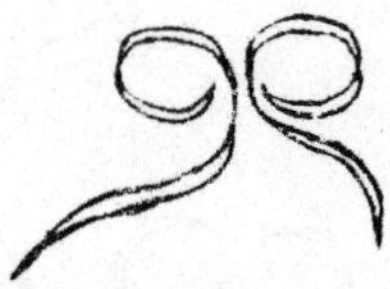

姿势

一手：双手握拳，外撑，臂俱朝前。

二肘：双肘俱展，右肘曲，左肘微曲。

三膀：两膀左右松。

四头：微向左侧。

五眼：神注左拳尖。

六身：身桩直竖。

七脚：左脚用脚跟平蹬，右脚踏紧。

八膝：左膝平展，右膝竖直微曲。

九胯：右胯略蹲，左胯平松。

方向：面微向西北。

青龙击水

动作（1）

要旨：急步，上右捶、右脚，跟齐，即上左捶、左脚，迈一大步。

注解："急步"，左脚由左蹬根落地；"上右捶、右脚"，右捶由急步向前朝里转圈上；"跟齐"，右脚随右捶前去，跟至左脚齐；"即上左捶、左脚"，左捶由左向里前上，亦朝里转圈；"迈一大步"，左脚随上势，向左尽力开一大步前踏，以助左捶。

变化

姿势

一手：双手握捶，轮流向左前上。

二肘：右肘曲，左肘微曲。

三膀：右膀向前下松，左膀向前平松。

四头：略向左侧。

五眼：神注左捶头。

六身：身桩直竖。

七脚：左脚迈大步，右脚不动。

八膝：左膝攻起，右膝绷展。

九胯：左胯坐实，右胯坠住。

方向：面向西北。

动作（2）

要旨：左捶上接，右捶下打，左捶同时置于左方。

注解："左捶上接"，左捶从左上方接住；"右捶下打"，右捶朝右上举，顺左捶接住下打，落于左脚尖前；"左捶同时置于左方"，左捶接住，回往里卷，同时置于左胯弯之外，脚俱暗动，移向前。

变化

姿势

一手：右捶打左脚前，左捶置左胯外，两捶遥合。

二肘：两肘皆曲。

三膀：两膀下松。

四头：平直勿俯。

五眼：神注右捶。

六身：腰展平直。

七脚：两脚向前，脚后跟勿抬。

八膝：左膝平曲，右膝伸直。

九胯：左胯坐实，右胯随之顺直。

方向：面向西方。

二起

动作（1）

要旨：双捶设起向右去，身往上起，右脚不动，左脚掌虚点，身往下蹲。

注解：“双捶设起向右去”，双捶由左设起，向上往右去；“身往上起”，身随捶设起；“右脚不动”，只移脚尖；“左脚掌虚点”，左脚跟去，脚掌点地；“身往下蹲”，欲伸先曲，用捶变掌。

变化

姿势

一手：捶变成掌，右手偏右前伸，与眼角齐；左手亦偏右前跟，与心口齐，两手掌合。

二肘：左右皆曲。

三膀：两膀前松。

四头：头直微向右侧。

五眼：神注右手梢。

六身：身桩竖直，勿向前俯。

七脚：右脚实踏，左脚虚点。

八膝：左右膝皆曲。

九胯：右胯坐实，左胯虚含。

方向：面微向东北。

动作（2）

要旨：先抬左脚，再抬右脚，两手并起打去，右手打住。

注解："先抬左脚"，双手向下向左一回，左脚不落；"再抬右脚"，两手自左向上向右往前去，右手打住右脚。

变化

姿势

一手：右手前伸打住左手，同去，沉于心口。

二肘：左肘曲，右肘微曲。

三膀：左膀下松，右膀向前平松。

四头：直立，微向右侧。

五眼：神注右脚尖。

六身：身桩扶直。

七脚：右脚踢起，左脚落下。

八膝：左膝曲起，右膝展起。

九胯：左胯抬起，右胯随之不停，一是上抬。

方向：面向东方。

怀中抱膝

动作

要旨：双手上举将左膝环抱，抱往上起，抱至胸齐。

注解："双手上举将左膝环抱"，双手就左膝两旁往前去，向左右分开，回合抱住左膝；"抱往上起，抱至胸前"，双手抱膝向里，上起，起至胸前。

变化

姿势

一手：两手合掌，自膝外将膝抱至胸中，手指向前。

二肘：两肘皆曲。

三膀：两膀下松。

四头：竖直勿俯。

五眼：神注两手指头。

六身：身桩直立，切忌前俯后仰。

七脚：左脚抬起，提成虚悬；右脚踏实，支住全身。

八膝：左膝曲，右膝微曲。

九胯：左胯虚提，右胯坠住。

方向：面向东方。

踢一脚

动作

要旨：脚往上一撩，朝上踢起，双手同时推出，手脚一齐向上去。

注解："脚往上一撩，朝上踢起"，双手抱膝上起，脚尖撩时，膝往上抬，脚就势向上踢去；"双手同时推出"，双手用掌向前推，指头朝上；"手脚一齐向上去"，推毕，乘势一齐往上举起。

变化

姿势

一手：双手前伸上起，手掌朝前，指向上。

二肘：两肘微曲。

三膀：两膀向前平松。

四头：头宜竖直。

五眼：神注中指指头。

六身：身桩扶正，切忌前俯。

七脚：左脚踢，右脚支住全身，五趾抓地。

八膝：左膝因上踢展平，右膝微曲。

九胯：左胯上抬，右胯下坠。

方向：面向东方。

蹬一根

动作

要旨：由上势两手与左脚一齐往后转，转过左脚落地，趁势右脚后跟即朝右蹬出，不落。

注解：“由上势两手与左脚一齐往后转，转过左脚落地”，两手与左脚一统朝上往后转，转过左脚落于右脚之后；“趁势右脚后跟即朝右蹬出”，左脚落时，右脚就势向上往右朝下向里蹬出；“不落”，右脚不落，连住变下着。

变化

姿势

一手：两手往里下，左手按地，右手前伸，手臂朝前。

二肘：左肘曲，右肘微曲。

三膀：两膀上下斜松。

四头：横直。

五眼：后视。

六身：身桩伏地横直。

七脚：右脚后跟蹬出，左脚五趾抓地。

八膝：右膝展直，左膝曲住。

九胯：左胯坐实，右胯虚悬。

方向：面向北方。

掩手肱捶

动作

要旨：右脚由不落转过，左手、左脚同时向右上，右手握捶，打于左手心内。

注解：“右脚由不落转过，左手、左脚同时向右上”，就右脚向上往外落时，左手、左脚即随住往右上，上到右脚前；“右手握捶，打于左手心内”，右手从右方握捶上起，下到左方，转向左去，打于左手心内，与脚尖齐，由右往外转时，双手从两膝分过，为拦马掌。

变化

姿势

一手：左手掌心朝上，右手捶，手臂朝上。

二肘：两肘皆曲。

三膀：两膀往左下松。

四头：头直，微向左侧。

五眼：神注右捶头。

六身：身桩竖直，左沉。

七脚：左右脚俱五趾抓地，后跟踏紧。

八膝：左膝攻起，右膝绷展。

九胯：左右胯俱向下坐。

方向：面向南方。

抱头推山

动作

要旨：双手顺膝分开往右去，右脚不动。

注解："双手顺膝分开"，双手顺左膝往外分开，左手往左拉，右手往右拉，均拉至膝外，朝上往右推；"右脚不动"，左手由左膝向上从脑后过前，右手由右膝向上至眼角齐，双手合住，一齐向右推去，右脚乘手推时，只移脚尖。

变化

姿势

一手：左右手侧掌向右前推，右手遥与眼应，左手遥与心应。

二肘：两肘平曲。

三膀：两膀平松。

四头：竖直，微向右侧。

五眼：神注右手指头。

六身：身桩竖直，右沉。

七脚：左右脚俱踏实。

八膝：右膝平曲，左膝展直。

九胯：左右胯俱坐实。

方向：面向南方。

单鞭

动作

要旨：由推山势，两手下按，至右膝左右，随从右膝左右上起，至眼角齐，左右展开。

注解："由推山势，两手下按，至右膝左右"，两手从右方手指朝下按至右膝左右；"随从右膝左右上起，至眼角齐"，即从右膝侧掌上到眼角齐；"左右展开"，同时左手从眼角齐上至右方，右手从膝外下至右方。

变化

姿势

一手：两手至右眼角分开，左手侧掌去左上跷，右手捏撑去右下按。

二肘：左右肘微曲。

三膀：左膀前松，右膀后松。

四头：微向左侧。

五眼：神注左手指头。

六身：身桩竖直。

七脚：两脚踏实，俱向左侧。

八膝：左膝曲平，右膝展直。

九胯：左右胯俱往下坐。

方向：面向南方。

前照

动作

要旨：由单鞭右手上起外去，左手里回下去，脚不动。

注解："由单鞭右手上起外去"，右手放撑往右向上往外去，上至与眼角齐；"左手里回下去"，左手由上朝下里回，回至胸前，指向下往里斜；"脚不动"，脚跟不动，脚尖随手转移。

变化

姿势

一手：右手指上起，左手指下回至胸。

二肘：右肘朝上曲，左肘向下曲。

三膀：两膀左右互松。

四头：头直，微向左侧。

五眼：神注左手梢。

六身：直竖勿歪。

七脚：两脚俱不明动，惟随意暗动。

八膝：右膝曲住，左膝微伸。

九胯：右胯下蹲，左胯虚承。

方向：微向西南。

后照

动作

要旨：左手向后上起外去，脚亦随之外去，右手往里回，（右）脚亦随之往里回。

注解："左手向后上起往外去"，左手由胸前向后转上往外去；"脚亦随之外去"，左脚随着左手；"右手往里回，右脚亦随之往里回"，右手由右向下往里转，转至右大腿外，右脚亦随之往里转，脚跟提起。

变化

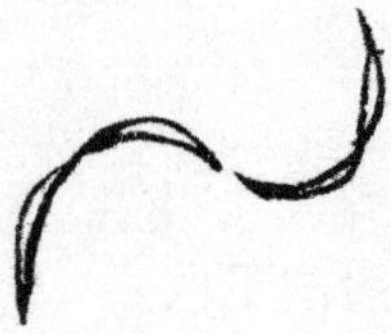

姿势

一手：左手由胸前上起，右手回至右腿外。

二肘：左肘曲，右肘微曲。

三膀：两膀平松。

四头：头直，微向左侧。

五眼：神注左手梢。

六身：身桩扶直，勿歪。

七脚：左脚踏实，右脚虚提。

八膝：左膝微曲，右膝微伸。

九胯：左右胯俱向下微蹲。

方向：面向西南。

勒马势

动作

要旨：乘后照之收势，右手、右脚往外转，脚跟点地，左手向里转，左脚不动。

注解："乘后照之收势，右手、右脚往外转，脚跟点地"，右手由下往里、往上、往外转，右脚由里往上、往外、往下落，脚跟点地；"左手向里转，左脚不动"，左手往外、往上、往里转，左脚尖移向前平踏。

变化

姿势

一手：右手掌朝上右侧，左手臂朝上亦右侧。

二肘：两肘皆曲。

三膀：右膀下松，左膀略下松。

四头：头直竖，右侧。

五眼：神注两手梢。

六身：直立扶照，勿向前俯。

七脚：右脚高起下落，左脚五趾抓地平踏。

八膝：右膝虚曲，左膝实曲。

九胯：左胯向下坐实，右胯下落虚提。

方向：面向西南。

野马分鬃

动作（1）

要旨：右手、右脚从下往上往外分上，左手从上往下，合于左胯之外。

注解："右手、右脚从下往上往外分上"，右手向下顺裆向前朝上往外分上，上至与顶齐，右脚随之；"左手从上往下，合于左胯之外"，左手从上往外往后转下，收于左胯之外，左脚不动。

变化

姿势

一手：右手掌朝上，微侧；左手臂朝上，亦微侧。

二肘：左右肘皆微曲。

三膀：两膀上下互松。

四头：头斜直，略向右侧。

五眼：神注右手梢。

六身：身桩斜直。

七脚：右脚向外上，右脚踏紧。

八膝：右膝曲住，左膝展直。

九胯：右胯下坐，左胯后坠。

方向：面向西南。

动作（2）

要旨：左手、左脚从下往上往外分上，右手从上往下，合于右胯之外。

注解："左手、左脚从下往上往外分上"，左手向下顺裆向前朝上往外分上，上至与顶齐，左脚随之；"右手从上往下，合于右胯之外"，右手从上往外往后转下，合于右胯之外，右脚暗动。

变化

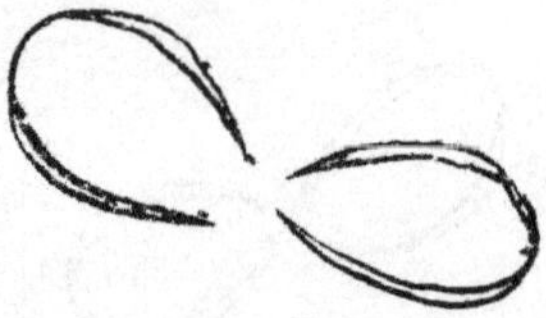

姿势

一手：左手掌微向外侧，右手臂亦微向外侧。

二肘：两肘俱微曲。

三膀：右膀下松，左膀上松。

四头：头与脊顺，斜立，微向左侧。

五眼：神注左手梢。

六身：身桩向左侧斜直。

七脚：左脚向左上踏实，右脚移动随之。

八膝：左膝曲住，右膝展直。

九胯：左胯坐实，右胯后坠。

方向：面向西北。

探马势

动作

要旨：卸左脚，提右脚，手随脚动，右脚跟点地。

注解："卸左脚"，左脚在前往回撤，将右脚撇于前方；"提右脚"，因左脚已撤回后面，右脚从速提回，即收至裆前；"手随脚动"，脚回卸，手亦回卸，脚回提，手亦回提；"右脚跟点地"，脚虚悬待机。

变化

姿势

一手：右手掌右侧置膝上，左手臂右侧与鼻准对。

二肘：双肘皆曲。

三膀：左膀上松，右膀下松。

四头：头竖直，微向右侧。

五眼：神注两手梢。

六身：上下扶照，勿前俯。

七脚：右脚跟点地，宜虚；左脚踏地，宜实。

八膝：右膝虚曲，左膝实曲。

九胯：左右胯俱下蹲，右胯虚承。

方向：面向西方。

玉女蹿梭

动作

要旨：上右手、右脚，跟左手、左脚，左脚落地，右脚随手悬起，朝后前上。

注解："上右手、右脚"，右手一抬，右脚上提；"跟左手、左脚"，右手、右脚未落时，左手自右手虎口推出，左脚向右前健一步，点地；"左脚落地，右脚随手悬起，朝后前上"，左脚落地时，右脚随手悬起，朝上往后转，转过落到右前方，左脚不动，但移脚尖转去。

变化

姿势

一手：右手上起，左手顺虎口前推，右手置于心口。

二肘：右肘曲于右肋，左肘微曲。

三膀：右膀后松，左膀前松。

四头：头竖直，勿歪。

五眼：神注左手梢。

六身：身桩扶直。

七脚：左脚踏实，右脚空悬。

八膝：左膝直立微曲，右膝抬起上曲。

九胯：左胯落实，右胯上提。

方向：面向西北。

背折靠

动作

要旨：由上势右手、右脚朝后转过，右手展开，左手靠于左肋。

注解：“由上势右手、右脚朝后转过”，右手、右脚悬起，朝后向上转过落地，右膝攻起；“右手展开”，右手由心口上起，沿路朝后转时就势展开，向右上方去；“左手靠于左肋”，左手由上势向下沿路朝后转时收回，靠于左肋。

变化

姿势

一手：右手到右上方，掌心向内；左手到左肋，手臂向外。

二肘：左肘曲，右肘微曲。

三膀：左膀下松，右膀前松。

四头：竖直，略向右侧。

五眼：神注右手梢。

六身：身桩竖直。

七脚：两脚踏实，向右侧。

八膝：右膝攻起，左膝展直。

九胯：两胯坐实。

方向：面微向西南。

单鞭

动作

要旨：两手前合，下按，上起，至膀齐，左上右下分开，左脚向左迈，右脚向左移。

注解："两手前合"，两手同向左分，同向右合；"下按，上起"，随身下蹲，按至膝，随身上起；"至膀齐，左上右下分开"，左手向上往左，右手向下往右，皆从膀齐分开；"左脚向左迈"，左脚随左手，同向左迈去；"右脚向左移"，右脚同右手向右去，右脚尖跷起移向左去。

变化

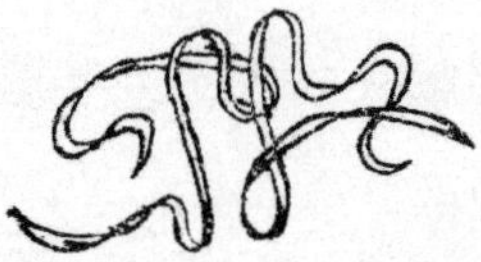

姿势

一手：左手左去，掌向里侧；右手右去，撑向下扎。

二肘：左右两肘微曲。

三膀：两膀前后分松。

四头：竖直，微向右侧。

五眼：神注左手梢。

六身：身桩直立，切忌左歪。

七脚：左脚去左左侧，右脚亦移向左左侧。

八膝：左膝曲住，右膝展直。

九胯：左右两胯皆下坐。

方向：面向南方。

云手

动作

要旨：右手去右，右脚随之，右脚步窄，右手手高，复左手收回丹田。

注解：“右手去右，右脚随之”，右手从丹田向上往右云去，右脚随手跟去；“右脚步窄，右手手高”，右脚迈窄步，向回收半步，步窄身高，手自然高起；“左手收回丹田”，因右手由丹田出去，左手当回，所以收回丹田；此是左云右收、右云左收，连贯不断，名曰互行。

变化

姿势

一手：右手由丹田往右去，至眉齐，左手收回丹田。

二肘：左肘曲，右肘微曲。

三膀：右膀平松，左膀下松。

四头：微向右侧。

五眼：神注右手梢。

六身：身桩右沉，扶直。

七脚：右脚后跟提起，左脚踏实。

八膝：右膝攻起，左膝展开。

九胯：右胯坐实，左胯虚应。

方向：面向南方。

跌叉

动作

要旨：双手收回心口，提右脚，即蹬左脚，双手朝上分开落下，双往前合，右手、右脚往前上，左手、左脚向前冲。

注解：“双手收回心口，提右脚，即蹬左脚”，右脚抬起往下跺，左脚抬起向左蹬，铺地下；“双手朝上分开落下”，双手由心口同时上起分开落于两旁，掌心朝下；“双往前合”，合住右手向右叫，身向右回，左手随之；“右手、右脚向前上，左手、左脚向前冲”，趁势一蹴，上与左脚齐，左手竖起，右手在右蹴平。

变化

姿势

一手：两手往上分下，掌朝上往前合，臂朝上。

二肘：两肘微曲。

三膀：两膀平松。

四头：偏左直。

五眼：偏左视。

六身：直立，勿前俯。

七脚：右脚五趾抓紧，左脚蹬展。

八膝：右膝曲，左膝展。

九胯：两胯俱往下蹲，左实右虚。

方向：面向南方。

更鸡独立

动作

要旨：右手、右脚朝前抬起，向后落下，左手随之。

注解：“右手、右脚朝前抬起”，右手自右前方上至右耳前，右脚朝前抬至大腿平；“向后落下”，右手、右脚朝耳后落下；“左手随之”，下至胯齐。

变化

姿势

一手：右手由耳前上举，耳后落下，左手下至胯齐。

二肘：左右肘俱微曲。

三膀：右膀上松，左膀下松。

四头：头直微上仰。

五眼：神注右手梢。

六身：上下直立。

七脚：右脚虚悬，左脚支撑全身，须五趾将地抓紧。

八膝：右膝曲至大腿平，左膝直立、微曲。

九胯：左胯实承，右胯虚提。

方向：面微向东北。

朝天镫

动作

要旨：左手、左脚朝后抬起，向前落下，右手随之。

注解：“左手、左脚朝后抬起”，左手从左后方上至左耳后，左脚朝后抬至大腿平；“向前落下”，左手、左脚朝耳前落下；“右手随之”，至胯齐。

变化

姿势

一手：左手由耳后上举，耳前落下，右手下与胯齐。

二肘：两肘微曲。

三膀：左膀上松，右膀下松。

四头：直竖，微上仰。

五眼：神注左手梢。

六身：上下扶正，切忌前俯后仰。

七脚：右脚前后踏紧，左脚提起。

八膝：右膝直立、微曲，左膝曲至大腿平。

九胯：右胯实支，左胯虚提。

方向：面微向东南。

倒卷肱

动作

要旨：卸右手、右脚，右手倒往回卷按裆内，右脚由裆仍踏右后方，再卸左手、左脚，左手亦倒往回卷按裆内，左脚由裆仍踏左后方，变成双手向右上提。

注解：“卸右手、右脚”，右手向后朝上往前按，右脚朝里过裆往后，向右前踏；“卸左手、左脚”，左手向后朝上往前按，左脚朝里过裆往后向左前踏；“变成双手向右上提”，提至右上方。

变化

姿势

一手：两手俱朝后抬，往前按毕，变为俱向右上提。

二肘：两肘俱曲，变为俱向右上伸。

三膀：两膀下松。

四头：头直，微向下俯。

五眼：神注右手梢。

六身：桩向右侧，腰不须弯。

七脚：右脚落地踏平，左脚落时脚掌先着地。

八膝：右膝曲至大腿平，左膝微伸。

九胯：右胯坐实，左胯虚承。

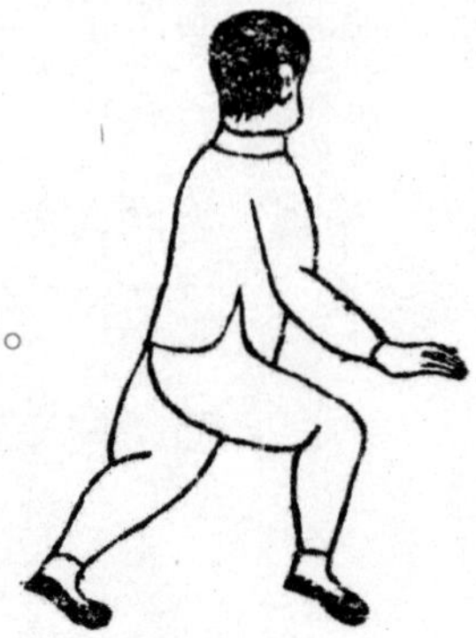

方向：面微向东北。

白鹅亮翅

动作

要旨：由双手提至右上方，同往左下，双脚左下，右脚虚点，即从左手、左脚，复上至右上方，左脚虚点。

注解："由双手提至右上方，同往左下"，下至右手在裆中，左手在膝外；"双脚左下，右脚虚点"，随至右脚掌着地；"即从左手、左脚，复上至右上方"，右手斜与眼齐，左手遥与心应；"左脚虚点"，双脚右去，左脚掌着地，与前同是互行法。

变化

姿势

一手：双手右下，右手在裆中，左手在膝外，同往右上，右手与眼齐，左手与心对。

二肘：两肘交互相曲。

三膀：两膀交互相松。

四头：左下左直，右上右直。

五眼：神注两手梢。

六身：左下右上，身桩扶正。

七脚：左往右来，互为虚实。

八膝：左下双脚曲，右上膝微伸。

九胯：左下两胯下坐，右上两胯微伸，俱分虚实。

方向：面向东方。

搂膝

动作（1）

要旨：两手由上分开，交叉按于膝上，左脚横蹬至左方。

注解："两手由上分开，交叉按于膝上"，两手起时上分，按时下合，皆顺右膝，掌心向下按去；"左脚横蹬至左方"，用脚朝地擦去，脚趾微向前斜。

变化

姿势

一手：两手分开按下，交叉合于右膝上。

二肘：两肘平曲。

三膀：两膀向右下松。

四头：向右侧微俯。

五眼：神注交叉两手梢。

六身：身桩右沉，竖直。

七脚：左脚横蹬至左方，右脚踏紧，左虚右实。

八膝：右膝平曲，左膝绷展。

九胯：右胯坐实，左胯虚承。

方向：面向东方。

动作（2）

要旨：双手横分至左右膝外，左膝曲，右膝伸，左手向左后去，右手朝上前来。

注解："双手横分至左右膝外"，右手拉短，左手拉长，要缓急相等，同时俱到；"左膝曲，右膝伸"，与手同动；"左手向左后去，右手朝上前来"，左手顺膝后搂至脊中，右手顺膝上转至面前与鼻照。

变化

姿势

一手：右手与鼻尖照，左手与脊背照。

二肘：左右肘前后皆曲。

三膀：右膀前松，左膀后松。

四头：向前立正。

五眼：神注右手梢。

六身：身桩扶正，勿扭。

七脚：左脚尖斜，右脚随之。

八膝：左膝曲住，右膝蹬直。

九胯：左右胯俱下坐。

方向：面向正东。

闪通背

动作（1）

要旨：由搂膝往前进，上右手、右脚，跟左手、左脚，左脚跟提起。

注解："往前进，上右手、右脚"，右手、右脚从外向上往前进，上至膀平；"跟左手、左脚"，左手、左脚从下向里朝右跟，亦至膀平；"左脚跟提起"，提至与右脚相近，脚掌点地。

变化

姿势

一手：右手向前进，掌朝前侧；左手右跟，指向下捏。

二肘：右肘微曲，左肘弯曲。

三膀：两膀平松。

四头：竖直，向右微侧。

五眼：神注右手梢。

六身：身桩扶直。

七脚：右脚朝前，左脚跟提起。

八膝：左右膝曲。

九胯：右胯坐下，左胯虚承。

方向：面向北方。

动作（2）

要旨：卸左手、左脚，撤右手、右脚，右脚趾跷起。

注解：“卸左手、左脚”，左手、左脚朝上起，往后向下落，至左大腿平；“撤右手、右脚”，撤至右膝展直；“右脚趾跷起”，腿向下铺。

变化

姿势

一手：左手由上落至左膝外，右手由上下至右膝齐，左手臂朝前，右手掌朝前。

二肘：左肘曲，右肘微曲。

三膀：两膀松下。

四头：向右微侧。

五眼：神注右手梢。

六身：竖直勿歪。

七脚：右脚尖微跷，左脚趾抓地。

八膝：左曲右伸。

九胯：左胯坐实，右胯虚活。

方向：面向北方。

动作（3）

要旨：上左手、左脚，右手、右脚随之，成四六步。

注解：“上左手、左脚”，左手上，左脚跟去，左手自左而右，从下前进上托，左脚自左由下前进下踏；“右手、右脚随之”，右手、右脚随左手、左脚一活，亦从下往上托，脚从本地一撩往下踏，两脚成四六骑马势。

变化

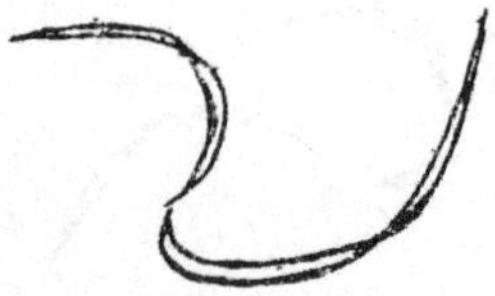

姿势

一手：双手由下往前，合掌上托。

二肘：左肘曲，右肘亦曲。

三膀：两膀平松。

四头：头向上仰。

五眼：神注上方。

六身：身桩竖直。

七脚：两脚微向左斜。

八膝：左膝曲，右膝微曲。

九胯：左右两胯俱向下蹲。

方向：面向南方。

动作（4）

要旨：朝后卸右手、右脚，左手、左脚随右面后下铺下。

注解："朝后卸右手、右脚"，右手与右脚，由上往右朝后卸下；"左手、左脚随右面后下铺下"，左脚不动，随右脚后卸时一拧就势铺下，左手随右手下至膝齐，左手在左膝里，右手在右膝外，脚向右斜。

变化

姿势

一手：左右手臂俱朝前。

二肘：右肘曲，左肘微曲。

三膀：两膀下松。

四头：略向左侧。

五眼：神注左手梢。

六身：直立勿俯。

七脚：双脚向里侧。

八膝：右曲左伸。

九胯：右胯坐实，左胯虚承。

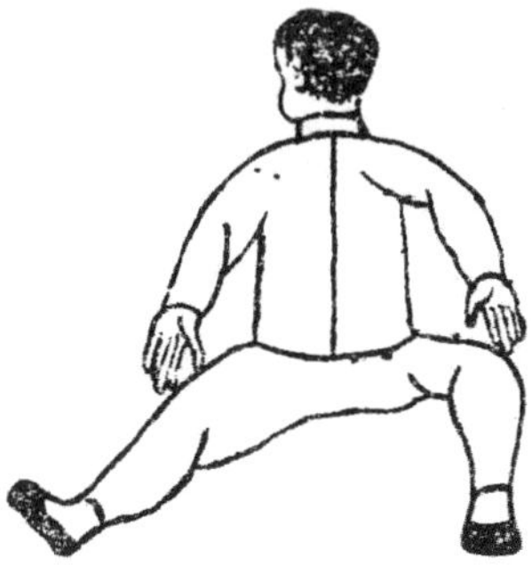

方向：面向北方。

动作（5）

要旨：右手、右脚向上往前推，合于右方，左手、左脚随之，成右攻势。

注解："右手、右脚向上往前推，合于右方"，右手、右脚，由下往上向前进，朝右略向下推，同左手合于右方；"左手、左脚随之"，左手、左脚由下往上朝右去，随右手合于右方；"成右攻势"，右膝曲住，左膝绷展。

变化

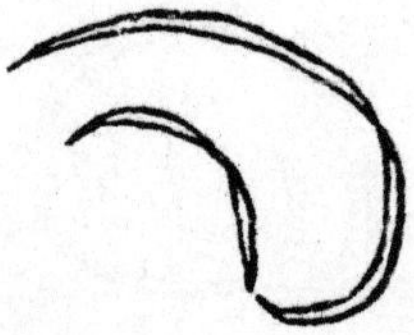

姿势

一手：两手合前右方，左手遥与心应。

二肘：左肘曲，右肘微曲。

三膀：两膀向右松。

四头：微向右侧。

五眼：神注右手梢。

六身：身桩右沉，直竖。

七脚：两脚俱朝右侧。

八膝：右曲左展。

九胯：右胯坐实，左胯朝下压。

方向：面向南方。

单鞭

动作

要旨：两手往前合，左脚往前跟，左脚掌点地。

注解："两手往前合"，两手就上势往上转下，往外向左去，复从左往上往里向右去，合于右上方；"左脚往前跟，左脚掌点地"，左手往右去时，左脚随之往右去，用脚掌点地，前实后虚，无前倾后倒之患。

变化

姿势

一手：两手均向左回，向右上，右手与眼角平，左手微低。

二肘：左回时两肘俱曲，右上时两肘仍曲。

三膀：左回下松，右上前松。

四头：微向右侧。

五眼：左回神注左手梢，右上神注右手梢。

六身：上下扶正。

七脚：左回右虚，右上左虚，成时左脚掌着地。

八膝：两膝微曲。

九胯：两胯微向下蹲。

方向：面向南方。

单鞭

动作

要旨：两手左分右合，下按上起至膀齐，左手往上向左去，右手往下向右去，左脚往左迈，右脚不动。

注解：“两手左分右合，下按上起至膀齐，左手往上向左去”，左手往上向左方展去；“右手往下向右去”，右手往下向右展出；“左脚往左迈”，左脚随左手迈向左去；“右脚不动”，右脚随右手暗朝右动，用脚尖移向左去。

变化

姿势

一手：左手掌向左侧，右手捏撑向下扎。

二肘：两肘微曲。

三膀：两膀左右松。

四头：竖直，微向左侧。

五眼：神注左手指头。

六身：身桩扶直。

七脚：左右脚一顺往左斜。

八膝：左膝曲住，右膝绷展。

九胯：左右胯皆往下坐。

方向：面向南方。

云手

动作

要旨：右手往右去，右脚步窄，左手收回丹田。

注解：“右手往右去”，右手由丹田向上往右云；“右脚步窄”，右脚随右手向右往回收半步，步窄身高，为上云，与左低不同，左低为下云，其实一样；“左手收回丹田”，右手出去，左手回护。

变化

姿势

一手：右手云至眉齐，掌心向里侧；左手收回丹田，手臂朝前。

二肘：左肘曲，右肘微曲。

三膀：右膀前松，左膀下松。

四头：头向右微侧。

五眼：神注右手指尖。

六身：身桩偏右沉，扶直。

七脚：右脚跟虚，左脚踏实，俱向右侧。

八膝：右膝虚曲，左膝微直。

九胯：右胯略往下坐，左胯下坠。

方向：面向南方。

变高探马

动作

要旨：左脚向前偷半步，右手、右脚前上后卸，左手、左脚回提，脚掌虚点含实，一齐前去。

注解："左脚向前偷半步"，为变方向。"右手、右脚前上后卸"，右手、右脚同向前去，朝右卸回，左手随之；"左手、左脚回提"，左手、左脚朝右向下往上回提；"脚掌虚点含实，一齐前去"，趁脚掌虚点时，左手、左脚同右手一齐变实向前上。

变化

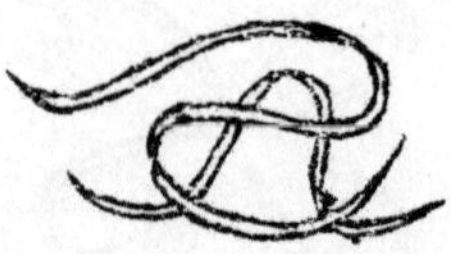

姿势

一手：两手成交叉式，右手臂朝上，左手掌朝上。

二肘：左右肘皆曲。

三膀：两膀向前下松。

四头：头直左侧。

五眼：神注两手梢。

六身：身桩左侧直竖，勿向前俯。

七脚：右脚踏实，左脚虚点，虚中藏实。

八膝：左膝曲中带伸，右膝曲以镇之。

九胯：左右胯皆坐实，左胯虚中有实。

方向：面向西南。

十字脚

动作

要旨：由上势左手、左脚朝左方斜去，右手跟在左肘之下，右脚迈过左脚之前。

注解：“由上势左手、左脚朝左方斜去”，左手、左脚趁上势一齐斜向前去；“右手跟在左肘之下”，右手从右下转至左肘下面；“右脚迈过左脚之前”，右脚横向左去，越过左脚前面，成交叉步之势。

变化

姿势

一手：两手交叉，俱手臂朝上。

二肘：右肘曲，左肘微曲。

三膀：两膀向前平松。

四头：直竖左侧。

五眼：神注左手梢。

六身：身桩侧直，上下扶照。

七脚：右脚在前横踏，左脚在后正踏。

八膝：左右膝交叉微曲。

九胯：左右胯略往下蹲，俱向左侧。

方向：面向西南。

单摆脚

动作

要旨：左手在前，右手在后，右脚踢起，左手打住。

注解：“左手在前，右手在后”，即左手左前，前有物来，必用左手应之，右手助之；“右脚踢起”，右脚从裆中踢起，往左方过；“左手打住”，左手不动，右脚往左手底下摆过踢住，谓之左手打住。

变化

姿势

一手：左手自左前方展着平向左去，右手助之。

二肘：仍右肘曲，左肘微曲。

三膀：左膀向前平松，右膀随之。

四头：仍左侧。

五眼：神注右脚尖。

六身：仍侧直。

七脚：右脚踢起，左脚踏地抓紧。

八膝：右膝曲，左膝微曲。

九胯：左胯下坠，右胯松活。

方向：面向西南。

指裆捶

动作

要旨：两手从左方攻势分开，拉成右前攻势，随手变为左前攻势，同时，右手打于裆中，左手置在左胯。

注解：“两手从左方攻势分开，拉成右前攻势”，左手左拉，右手右拉，拉至右膝攻起；“随手变为左（前）攻势，同时，右手打于裆中，左手置在左胯”，由变左攻时，右变捶自右向上朝前打于裆中，左变捶向上朝外往回收在左胯。

变化

姿势

一手：右手握捶，虎口朝上；左手握捶，掌心朝上。

二肘：两肘皆曲。

三膀：两膀向前下松。

四头：头竖直。

五眼：神注右手捶头。

六身：身桩竖直，勿扭。

七脚：两脚踏实，俱向左侧。

八膝：左攻右展，右攻左展，虽互相攻，重左攻。

九胯：左右胯，互相下坠。

方向：面向西南。

金刚捣碓

动作

要旨：两手外分里合，右手斜右，左手斜左，右脚随之，正上正下，右脚随之踢起，左掌右捶，合与心齐。

注解："两手外分里合"，两手由捶伸掌后分前合；"右手斜右，左手斜左"，右手由右里上，右膝曲住，左手由左里下，左脚踏出；"右脚随之"，右手外下，随右脚上，与左脚齐，左手往外上，上至胸前；"正上正下，右脚随之踢起"，右捶上起，左掌下去；"左掌右捶，合与心齐”，同时，脚往上踢，捶往下落，掌往上就，齐集心口，以掌抱捶。

变化

姿势

一手：右捶左掌，以左掌抱右捶。

二肘：两肘皆曲。

三膀：两膀向前平松。

四头：以端正为主。

五眼：神注两手中。

六身：身桩立正，微往下蹲，勿向前俯。

七脚：右脚微虚，左脚踏实，双脚立正。

八膝：左右膝微向下曲。

九胯：两胯略往下蹲。

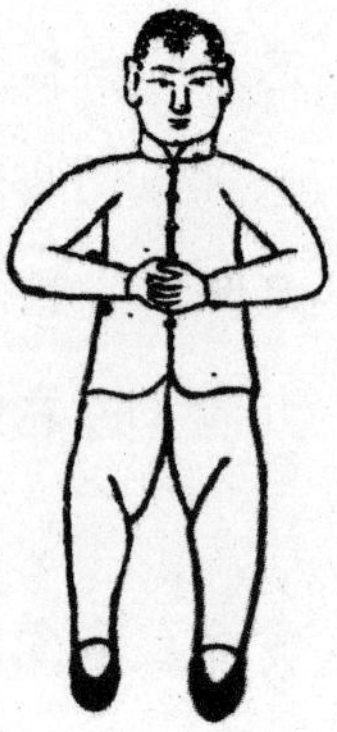

方向：面向正南。

懒擦衣

动作

要旨：左手、左脚往左卸，右手随之；右手、右脚往右上，左手随之。

注解："左手、左脚往左卸"，左手手臂朝前往左去，卸至左膝外，左膝曲住，右膝展开；"右手随之"，右手卸裆中；"右手、右脚往右上"，右手抬至眼齐，右脚向右迈，右膝攻起；"左手随之"，左手叉腰。

变化

姿势

一手：右手遥与眼应，左手叉于腰间。

二肘：左肘曲，右肘微曲。

三膀：左膀下松，右膀前松。

四头：微向右侧。

五眼：神注右手指头。

六身：身桩向右扶直。

七脚：两脚俱向右侧。

八膝：右膝曲住，左膝绷展。

九胯：左右胯皆向下坠。

方向：面向南方。

铺地锦

动作

要旨：铺左手、左脚，右手、右脚随往左下。

注解："铺左手、左脚"，左手、左脚朝后一齐向上抬起，往下铺；"右手、右脚随往左下"，右手随左手亦向上抬起，右脚不动，乘势下铺至地，左脚曲膝，右脚、右膝展直，脚尖上跷。

变化

姿势

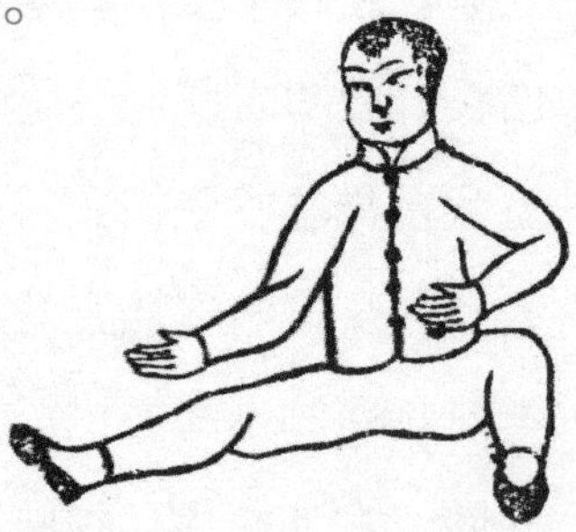

一手：左手下至左肋，右手收至膝内。

二肘：左肘曲，右肘微曲。

三膀：两膀左右松。

四头：微向右侧。

五眼：神注右手指头。

六身：身桩竖直，勿使前俯。

七脚：左脚踏实，右脚虚承，脚尖跷起。

八膝：左膝曲住，右膝绷展。

九胯：左右胯皆下坐，左胯实，右胯虚。

方向：面向南方。

挽刺行

动作

要旨：右手、右脚撩起前上，左手、左脚跟去，两手往回合，左脚虚点，两拳向前分，右脚后跟墩。

注解："右手、右脚撩起前上，左手、左脚跟去"，右手、右脚向上，握拳前冲，左手变拳，连脚跟去；"两手往回合，左脚虚点"，左手向右手上绕过回合，左脚掌跟去下坠；"两拳向前分，右脚后跟墩"，两拳朝右膝分开搉下，用脚后跟助力。

变化

姿势

一手：右手握拳，手臂朝上；左手握拳，手心朝下。

二肘：左右肘皆曲。

三膀：两膀皆向下松。

四头：头竖直右侧。

五眼：神注右手拳尖。

六身：身桩侧直扶照，勿使扭掉。

七脚：右脚实中有虚，左脚虚中带实。

八膝：两膝皆曲，右实左虚。

九胯：左右胯皆坐实下坠。

方向：面微向西南。

回头探花

动作（1）

要旨：左手、左脚朝上起，将向后跳，右手、右脚随之。

注解："左手、左脚朝上起，将向后跳"，左手、左脚朝左上方抬起，预备向后跳；"右手、右脚随之"，右手、右脚即随左手、左脚，一齐举起向后跳。

变化

姿势

一手：左手向左上起，同时右手亦随左边上起。

二肘：右肘曲，左肘微曲。

三膀：左膀向外上松，右膀朝里下松。

四头：向左上侧。

五眼：神注左手梢。

六身：向左侧直立。

七脚：左脚抬起向外，右脚踏实。

八膝：左膝曲，右膝微曲。

九胯：左胯上起，右胯下沉。

方向：面向西南。

动作（2）

要旨：由上式向后跳成斜步，随用左手扭至胯弯，同时，右手从后折过到于裆内。

注解：“由上式向后跳成斜步”，跳时左脚抬起，踏于右脚后，右脚抬起，踏于后斜方，成斜步；“随用左手扭至胯弯”，左手随之向后转，下置于胯弯；“同时，右手从后折过到于裆内”，虎口朝上打下。

变化

姿势

一手：左手握捶置左胯弯，右手握捶打正裆中。

二肘：左肘曲，右肘微曲。

三胯：两胯下松。

四头：微向下俯。

五眼：神注右捶虎口。

六身：身桩扶正，勿使扭掉。

七脚：左右脚踏实，俱向左侧。

八膝：左膝曲住，右膝展直。

九胯：左右胯俱坐实。

方向：面向东北。

折花闻香

动作

要旨：右捶从裆、左捶自胯一齐往右上，两脚随之。

注解："右捶从裆、左捶自胯一齐往右上"，右捶从裆向外往右去，左捶自胯朝里往右去，一齐往右上，两捶同时齐向右上方打去；"两脚随之"，右脚向外往右去，左脚朝里亦往右去，至右方，两膝皆曲，左脚虚点。

变化

姿势

一手：两手握拳，两拳相合。

二肘：左右肘皆曲。

三膀：两膀俱向右松。

四头：头直，微向右侧。

五眼：神注两手拳尖。

六身：身桩竖直。

七脚：右脚踏实，左脚虚提。

八膝：两膝皆曲，右膝曲实，左膝虚助。

九胯：右胯往下蹲，左胯虚活，不须太曲，至成时，往下蹲平。

方向：面向东北方。

单鞭

动作

要旨：两捶下按变掌上起，至眼角齐，左手左去，右手右去，左脚左迈，右脚不动。

注解："两捶下按变掌上起，至眼角齐"，由捶沿路变掌同往上起，至右眼角齐；"左手左去"，左手往上向左方展去；"右手右去"，右手往下朝右方展去；"左脚左迈"，左脚同时随左手迈向左方；"右脚不动"，右脚乘右手朝下拐，右脚尖向里移。

变化

姿势

一手：左手侧掌，掌心向里；右手捏撑，手指向下。

二肘：两肘微曲。

三膀：左膀上松，右膀下松。

四头：头直，微向左侧。

五眼：神注左手梢。

六身：身桩扶正，勿向左歪。

七脚：两脚俱踏实，一顺左斜。

八膝：左膝曲住，右膝展开。

九胯：左右胯俱向下坐。

方向：面向北方。

铺地锦

动作

要旨：铺右手、右脚，左手、左脚随之。

注解：“铺右手、右脚”，右手、右脚朝后，一齐向上抬起，往后铺；“左手、左脚随之”，左手随右手亦向上抬起，往下落，右脚下落，左脚铺于地上，左手亦随之下。

变化

姿势

一手：右手铺至右肋间，左手铺至左膝前。

二肘：右肘曲，左肘微曲。

三膀：两膀下松。

四头：微向左侧。

五眼：神注左手梢。

六身：身桩竖直，勿向前俯。

七脚：右脚踏实，左脚跷起，虚中有实。

八膝：右膝曲住，左膝伸直。

九胯：左胯坐实，右胯松活。

方向：面向北方。

上步刺行

动作

要旨：左捶、左脚撩起前上，右捶、右脚跟上，双捶回合，右脚虚点，双捶向前分，右脚卸回。

注解：“左捶、左脚撩起前上，右捶、右脚跟上”，左捶、左脚向上前冲，右捶、右脚连步跟上；“双捶回合，右脚虚点”，右捶往左手下绕上，转回合住，右脚掌跟去下沉；“双捶向前分，右脚卸回”，双捶朝左膝上分开下搥，右脚一沉，卸回。

变化

姿势

一手：左手握拳在前向上，右手握拳在后向下。

二肘：左肘向上曲，右肘向下曲。

三膀：左膀上松，右膀下松。

四头：直，微向左侧。

五眼：神注左拳尖。

六身：竖直忌扭掉。

七脚：左脚踏实，右脚虚中带实。

八膝：左膝实曲，右膝虚曲。

九胯：左胯坐实，右胯虚活。

方向：面微向西北。

卸步挎弧

动作

要旨：卸右拳、右脚，提左拳、左脚，右拳在前在上，左拳在后在下，左脚虚提。

注解："卸右拳、右脚，提左拳、左脚"，两拳从左膝一分，右脚后卸，左脚迅速随住撤回；"右拳在前在上，左拳在后在下"，右拳从左膝向右方上至面前，左拳从左膝向外方收到背后；"左脚虚提"。

变化

姿势

一手：两手握拳，右拳与发际齐，掌心向下；左拳与脊骨照，掌心向上。

二肘：右肘前曲，左肘后曲。

三膀：左右上下松。

四头：左侧顺直。

五眼：神注右拳尖。

六身：身桩扶照。

七脚：左脚虚悬，右脚踏实。

八膝：右膝实曲，左膝虚曲。

九胯：左右胯皆蹲下，左胯实承，右胯虚提。

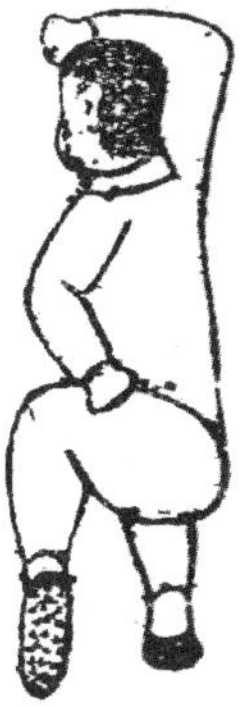

方向：面向西北。

转脸摆脚

动作

要旨：由上式背面转过来，双手俱向右方，右脚抬起，过裆展出，双手打住，向右斜方踏去。

注解："由上式背面转过来，双手俱向右方"，右手向右平展，左手向右平与心遥应；"右脚抬起，过裆展出，双手打住"，双手由右往左，右脚由裆往右碰住双手；"向右斜方踏去"，顺势右脚从上落下，踏于右斜方，与右脚斜对。

变化

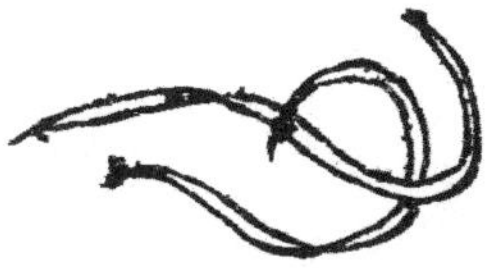

姿势

一手：双手由左往右，右侧，由右往左，左侧，俱手臂侧朝里。

二肘：右方，左肘曲；左方，右肘曲。

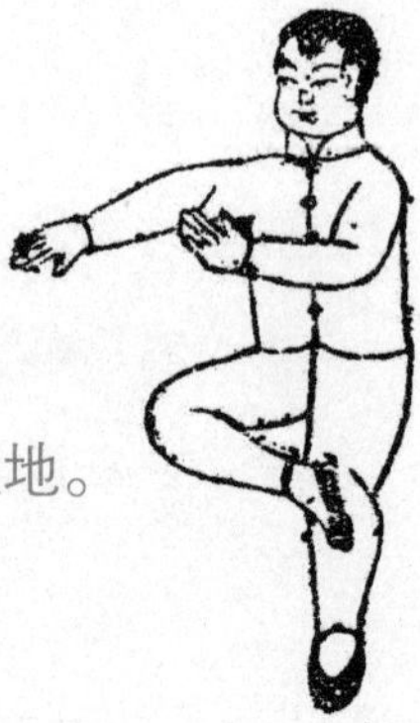

三膀：左右互松。

四头：左右互侧，竖直。

五眼：神注左右手梢。

六身：左右直竖。

七脚：右脚抬起，往裆摆过碰手，左脚五趾抓地。

八膝：左膝微曲，右膝收裆里曲，伸出展直。

九胯：左胯沉住，右胯松活。

方向：面向西南。

当头炮

动作

要旨：双手由左下至右，即由右上至当中，左手在前，右手在后，左脚攻起，右脚展开。

注解：“双手由左下至右”，左手在右膝内，右手在右膝外；“即由右上至当中”，即由右边双手变成拳，上至胸前；“左手在前，右手在后”，双拳俱掌缘朝前，中成太极；“左脚攻起，右脚展开”，左脚随左拳前攻，右脚随右拳后坠。

变化

姿势

一手：双手至右变拳，手臂俱侧朝上，两拳遥与鼻准对。

二肘：两肘俱曲。

三膀：两膀平松。

四头：直竖，微向左侧。

五眼：神注左手拳头。

六身：直竖，微向左侧。

七脚：两脚踏实，一顺左侧。

八膝：左膝曲住，右膝绷展。

九胯：左右胯俱坐实下坠。

方向：面向西南。

还原

动作

总解：因上势阳往上升、阴往下降，化为阳升天、阴入地，水火不相济。此则由分复合，左右互交，上落下就，右拳、左掌重会于心口，双脚往来随之，双手仍收回两大腿外侧，令阴阳仍相交合，化生万有。

变化

姿势

一手：两手略沉。

二肘：两肘微曲。

三膀：两膀下松。

四头：竖直勿歪。

五眼：眼向平视。

六身：身桩直立。

七脚：两脚平踏。

八膝：双膝微曲。

九胯：两胯略坠。

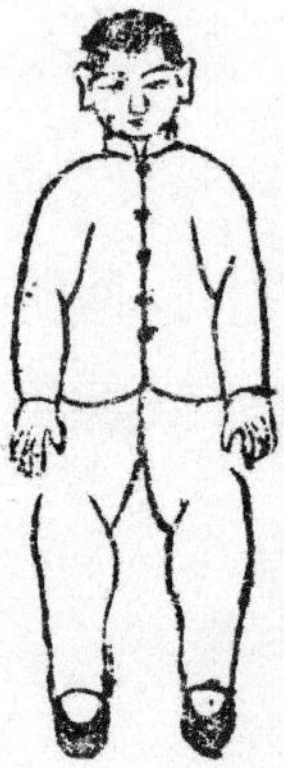

方向：面向正南。

中华民国二十四年五月　初版

蒋老夫子传

《太极拳正宗》共八册，余所编皆系余师任老夫子所传，其一生所绘总图及十三样手法之图仅两见。在先，与余师兄陈四典绘过一次，陈已没世，其次余焉。此外，未闻再绘。近因余如弟刘瀛仙嘱余公开，公之同好。今将一册先付印焉，其余正在编述中。

编述者　沁阳杜元化

校阅者　巩县刘焕东

校背丝扣者　沁阳杜善吉、杜善庆

滑县高玉璞

洛阳杨耀曾

郏县朱德全

印刷者　开封城内中山南街魁生德

附录一

赵堡太极拳传承表

- 蒋发
  - 邢喜怀
    - 张楚臣
      - 陈敬柏
        - 张宗禹
          - 张彦
            - 陈清平
              - 武禹襄（武式）
                - 李亦畬
                  - 郝为真
                    - 孙禄堂（孙式）
              - 李景颜（忽雷架）
                - 杨虎
                  - 谢公谨
                  - 陈铭标
                    - 杜瑜泽
                  - 杨绍顺
                    - 杨柱
                  - 陈应德
                    - 王晋让
                      - 郭东宝
                      - 萧治传
                      - 陈逸民
                      - 洪湘彬
                      - 陈家箴
                - 李火焱
                - 张国栋
                  - 张宝成
                    - 张锡玉
                  - 刘修道
                  - 张文成
              - 李作智（腾挪架）
                - 李镐
                  - 李景春
                  - 李景花
                - 周瑞祥
                  - 李在荣
                - 周文祥
                - 郭炳元
                - 王明怀
                - 王玉中
              - 和兆元（代理架）
                - 和庆喜
                  - 刘世英
                    - 刘耀森
                    - 吴金增
                  - 郝玉朝
                  - 郑伯英
                    - 柴学文
                    - 郑鸿烈
                    - 张鸿道
                      - 王海洲
                    - 郭士魁
                    - 王德华
                    - 王佩华
                    - 范诗书
                      - 范同川
                      - 段保国
                      - 李占成
                    - 赵增福
                  - 郭云
                  - 和学敏
                  - 郑悟清
                    - 原宝山
                    - 刘瑞
                    - 宋蕴华
                    - 郑钧
              - 任长春
                - 杜元化
                - 杜元德
                - 任应吉
                - 刘振乾
                - 刘振坤
              - 陈汉阳
                - 陈堃
              - 陈景阳
                - 陈钧
                  - 陈乃文
                    - 陈学忠
              - 牛发虎
                - 刘金凤
                  - 刘士喜
                - 王虎臣
                  - 李俊秀
                    - 刘清喜
              - 张敬芝
                - 王林清
                  - 王泽善
                    - 李大孬
                    - 茹天才
                    - 董洲
                - 陈应铭
                - 张利泰
                - 张铎
                - 侯春秀
                - 张树德
            - 张应昌
              - 张汶
                - 张金梅
              - 崔东
      - 王柏青

附录二

赵堡太极拳历代宗师纪念馆

自蒋发先师将太极拳传入赵堡，至今已有四百余年。四百多年来，历代宗师为赵堡太极拳之继承和发展做出了不可磨灭的贡献。他们武德高尚、拳艺高超，给后世留下了无数可歌可泣的故事。如今，赵堡太极拳受到国家和政府的重视，深受广大太极拳爱好者喜爱，正逐步走向全国和世界。

为让子孙后代铭记历代先师之功绩，让世人对赵堡太极拳的悠久历史有更深入的了解，并将赵堡太极拳发扬光大，太极拳拳师们倡议建造了赵堡太极拳历代宗师纪念馆。2000 年，纪念馆在村党总支部和村民委员会以及全村干部群众的支持下破土开建，村民和各地赵堡太极拳拳师积极赞助。纪念馆由赵堡太极拳总会副会长兼总教练王海洲负责总体策划、勘察设计。为让馆内塑像准确反映历代宗师之威武形象，他多次召集村中和全国各地的老拳师商议，讨论历代宗师之性格特征，结合历代宗师后人提供的照片与意见，确定历代宗师塑像的最终方案。方案确定后，再由本村泥塑专家精心制作，使塑像尽可能真实再现历代宗师之形象。纪念馆于 2004 年 6 月顺利竣工，浙江台州市赵堡太极拳门人、王海洲弟子卢信有敬献九龙朝凤匾。

赵堡太极拳始祖　蒋发

温县小留村人，师从山西太谷王林桢（王宗岳）。在赵堡镇开山收徒，创赵堡太极拳，有《太极拳功》等论著传世。

赵堡太极拳第二代宗师　邢喜怀

赵堡镇人，拜蒋发为师，善春秋大刀。将老子道家养生之道与太极拳结合，著有拳论《太极拳道》等。

赵堡太极拳第三代宗师　张楚臣

原籍山西人，邢喜怀盟弟，品性正直，得到邢公尽情传授。善技击兼养生，有著作《太极拳秘传》传世。

赵堡太极拳第四代宗师　陈敬柏

其父辈移居赵堡镇，得张楚臣全盘传授太极拳，拳艺高强。授徒八百余人，创赵堡太极拳鼎盛时期。

赵堡太极拳第四代宗师　王柏青

康熙二十六年师从张楚臣，秘练拳四十余载，著《太极拳秘术》，阐述赵堡太极拳秘法，有独特贡献。

赵堡太极拳第五代宗师　张宗禹

赵堡人，陈敬柏高徒，是当时对赵堡太极拳“能统其道”的唯一传人。淡泊名利，被认为“世外高人”。

赵堡太极拳第六代宗师　张彦

赵堡人，张宗禹之孙，精太极拳拳理，善技击，人称“神手张彦”。在山东曹州除“三害”，被当地人奉若神明。

张彦之子，陈清平誉其为少师，他称清平为师。拳艺得到父亲和清平两位宗师传授。排解社会纠纷，德高望重。

赵堡太极拳第七代宗师　张应昌

赵堡太极拳第七代宗师　陈清平（1795—1868）

其父定居赵堡镇，其出生于赵堡，拜张彦为师学太极拳。善教学，其传人多有成就，传河北广府武禹襄，后发展为武、孙两派太极拳。

赵堡太极拳第八代宗师　李景颜

陈辛庄人，陈清平之徒。人称“铁胳膊李盾”，善练“圪颤架”，创赵堡太极拳忽雷架。

赵堡太极拳第八代宗师　和兆元

(1810—1890)

赵堡人，陈清平之徒，善练赵堡太极拳代理架，曾入京保镖，拳艺威震京城，封武信郎。

赵堡太极拳第八代宗师　牛发虎

赵堡人，陈清平之徒，人称“神拳”。咸丰年间于虎牢关毙敌有功，钦命六品顶戴，晚年在赵堡镇设南场收徒授拳。

赵堡太极拳第八代宗师　任长春
(？—1910)

沁阳人，陈清平之徒，得太极拳真传。善教学，人称太极拳专家。

赵堡太极拳第八代宗师　张敬芝

赵堡人，得张应昌、陈清平传授。擅长领落架练法，助杜元化整理赵堡太极拳秘传功法。

赵堡太极拳第八代宗师　李作智

温县南张羌村人，陈清平之徒。善练腾挪架（权拖架），拳艺远近闻名，其徒于 1931 年参加开封打擂名列前茅。

赵堡太极拳第九代宗师　和庆喜
(1861—1936)

赵堡镇人，和兆元之孙，赵堡太极拳承前启后的重要代表人物。

赵堡太极拳第九代宗师　杜元化

沁阳义庄人，任长春之徒。民国年间开封国术馆教授，著有《太极拳正宗》，对传播赵堡太极拳有杰出贡献。

赵堡太极拳第十代宗师　郑伯英

赵堡人，和庆喜之徒。学拳时，日练百遍，精拳技。军队武术教官，开封国术擂台赛夺魁。曾教授过国家领导人太极拳。

赵堡太极拳第十代宗师　郑悟清

(1895–1984)

赵堡镇人，和庆喜之徒。民国年间在陕西授拳，从学者众。曾任陕西省武术协会会员，拳艺享誉海内外。

赵堡太极拳第十代宗师　侯春秀
(1904—1985)

赵堡镇人，张敬芝之徒，得赵堡太极拳秘传。注重修身养性，身怀绝技却少外露，西北门生众多。

赵堡太极拳历代宗师纪念馆

参考文献

[1] 杜元化. 太极拳正宗[M]. 1935 年.

[2] 王海洲，严翰秀. 杜元化〈太极拳正宗〉考析[M]. 北京：人民体育出版社，1999.

[3] 王海洲，严翰秀. 赵堡太极拳铨真 [M]. 北京：人民体育出版社，2003.

武学名家典籍丛书

杨澄甫武学辑注 《太极拳使用法》《太极拳体用全书》	杨澄甫 著 邵奇青 校注
孙禄堂武学集注 《形意拳学》《八卦拳学》《太极拳学》 《八卦剑学》《拳意述真》	孙禄堂 著 孙婉容 校注
陈微明武学辑注 《太极拳术》《太极剑》《太极答问》	陈微明 著 二水居士 校注
薛颠武学辑注 《形意拳术讲义上编》《形意拳术讲义下编》 《象形拳法真诠》《灵空禅师点穴秘诀》	薛颠 著 王银辉 校注
陈鑫陈氏太极拳图说（配光盘）	陈鑫 著 陈东山 陈晓龙 陈向武 校注
李存义武学辑注 《岳氏意拳五行精义》 《岳氏意拳十二形精义》《三十六剑谱》	李存义 著 阎伯群 李洪钟 校注
董英杰太极拳释义	董英杰 著 杨志英 校注
刘殿琛形意拳术抉微	刘殿琛 著 王银辉 校注
李剑秋形意拳术	李剑秋 著 王银辉 校注
许禹生武学辑注 《太极拳势图解》 《陈氏太极拳第五路·少林十二式》	许禹生 著 唐才良 校注
张占魁形意武术教科书	张占魁 著 王银辉 吴占良 校注

武学古籍新注丛书

王宗岳太极拳论	李亦畲 著 二水居士 校注
太极功源流支派论	宋书铭 著 二水居士 校注
太极法说	二水居士 校注
手战之道	赵晔 沈一贯 唐顺之 何良臣 戚继光 黄百家 黄宗羲 著 王小兵 校注

百家功夫丛书

张策传杨班侯太极拳108式（配光盘）	张喆 著　韩宝顺 整理
河南心意六合拳（配光盘）	李洳波 李建鹏 著
形意八卦拳	贾保寿 著　武大伟 整理
王映海传戴氏心意拳精要（配光盘）	王映海 口述　王喜成 主编
张鸿庆传形意拳练用法释秘	邵义会 著
华岳心意六合八法拳	张长信 著
戴氏心意拳功理秘技	王毅 编著
传统吴氏太极拳入门诀要（配光盘）	张全亮 著
吴式太极拳八法（配光盘）	张全亮 马永兰 著
拳疗百病——39式杨氏养生太极拳（配光盘）	戈金刚 戈美葳 著
尚济形意拳练法打法实践	马保国 马晓阳 著
非视觉太极——太极拳劲意图解	万周迎 著
轻敲太极门——太极拳理法与势法	万周迎 著
冯志强混元太极拳48式	冯志强 编著　冯秀芳 冯秀茜 助编
刘晚苍传内家功夫与手抄老谱	刘晚苍 刘光鼎 刘培俊 著
赵堡太极拳拳理拳法秘笈	王海洲 著
京东程式八卦掌	奎恩凤 著
功夫架——太极拳实用训练	朱利尧 著
道宗九宫八卦拳	杨树藩 著
三十七式太极拳劲意直指	张耀忠 张林 厉勇 著

民间武学藏本丛书

守洞尘技	崔虎刚 校注
通背拳	崔虎刚 校注
心一拳术	李泰慧 著　崔虎刚 校注
少林论郭氏八翻拳	崔虎刚 校注
拳谱志三	崔虎刚 点校
少林秘诀	崔虎刚 校注
拳法总论	崔虎刚 点校
少林拳法总论	崔虎刚 点校
母子拳	崔虎刚 点校
绘像罗汉短打	升霄道人 编著　崔虎刚 点校
六合拳谱	崔虎刚 点校

拳道薪传丛书

三爷刘晚苍——刘晚苍武功传习录	刘源正 季培刚 编著
乐传太极与行功	乐奂 原著　钟海明 马若愚 编著
慰苍先生金仁霖太极传心录	金仁霖 著
中道皇皇——梅墨生太极拳理念与心法	梅墨生 著
杨振基传太极拳内功心法	胡贯涛 著
卢式心意拳传习录	余江 编著
习练太极拳之见闻与体悟	陈惠良 著
廉让堂太极拳传谱精解	李志红等 编著
武当叶氏太极拳	叶绍东 何基洪 蔡光復 著
功夫上手——传统内功太极拳拳学笔记	陈耀庭 著 霍用灵 整理

功夫探索丛书

内家拳的正确打开方式	刘杨 著

扫码一键购

编辑推荐

三爷刘晚苍
——刘晚苍武功传习录
定价：54 元
刘源正　季培刚　编著

吴氏太极拳八法（配光盘）
定价：86 元
张全亮　马永兰　著

中道皇皇
——梅墨生太极拳理念与心法
定价：118 元
梅墨生　著

功夫上手
——传统内功太极拳拳学笔记
定价：108 元
陈耀庭 著 霍用灵 整理